Maud **Charpentier**
Elisabeth **Faure**
Angéline **Lepori-Pitre**

Destination DELF

A2

Préparation au DELF scolaire et junior

internet : www.blackcat-cideb.com
e-mail : info@blackcat-cideb.com

The Publisher is certified by

in compliance with the UNI EN ISO 9001:2008 standards for the activities of «Design and production of educational materials» (certificate no. 02.565)

Rédaction : Chiara Versino
Relecture : Delphine Boyer
Projet graphique : Simona Corniola
Mise en page : Maura Santini
Recherche iconographique : Alice Graziotin
Couverture : Simona Corniola
Illustrations : Moreno Chiacchiera
Coordination graphique : Simona Corniola

Direction artistique : Nadia Maestri

Crédits photographiques : Photos.com ; iStockPhoto ; Dreams Time ; ©AlbertoCampanile/Cuboimages : p. 29hd ; ©Yadid Levy / Cubo Images : p. 29bg ; ©AngeloTondini/Cuboimages : p. 53h ; Getty Images : p. 62bg ; Shutterstock : p. 67md ; Sean Gallup/ Getty images : p. 84 ; MCT/ Getty Images : p. 86 ; De Agostini Pictures Library : p. 129.

On remercie vivement Nelly Mous du CIEP et Nadia Savin pour leurs conseils avisés, ainsi que Josette Ballongue de l'Alliance Française de Latina pour son soutien fidèle.

Première édition : janvier 2012
Imprimé en Italie

Pour toute suggestion ou information, la rédaction peut être contactée à l'adresse suivante : info@blackcat-cideb.com

Imprimé en Italie par Stamperia Artistica Nazionale – Trofarello, Turin

Réimpression : 3 4 5 6 7 8 9 10 11
Année : 2015 2016 2017

Pour pouvoir écouter la partition audio, conformez-vous aux instructions suivantes :

1. Dans une chaîne hi-fi, écoutez-le CD comme un CD audio normal ;
2. Dans votre ordinateur, placez le CD dans le lecteur et lancez le programme d'écoute (ex. sur PC : Lecteur CD, Windows Media Player, etc.)

Si vous placez le CD dans votre ordinateur, le CD-ROM se lance automatiquement.

Configuration minimale pour le CD-ROM	
PC – Processeur Pentium III – Windows 98, Me, 2000, XP, Vista, Windows 7 – 128 Mo de RAM (256 Mo recommandés) – Résolution 800x600 pixel à 16 bit – Unité CD-ROM – Carte son audio compatible avec enceintes ou écouteurs	Macintosh® – Power Macintosh G4 ou processeur Intel – OS X – 128 Mo RAM d'espace libre pour l'application Toutes les marques sont protégées par la loi sur le copyright.

Sommaire

Le Diplôme d'Études en Langue Française (D.E.L.F.)

Le DELF est un **diplôme officiel du Ministère français de l'Éducation Nationale** proposé à tous ceux qui souhaitent obtenir une **certification** de leur niveau de compétence en langue française. Le DELF est présent dans 154 pays du monde grâce à un réseau de près de 1000 centres agréés gérés par le Centre International d'Études Pédagogiques (C.I.E.P.).

Une certification reconnue au niveau international

Les épreuves du DELF s'inspirent du **Cadre Européen Commun de Référence pour les Langues**, qui permet de définir et classer les différents niveaux de compétence en matière linguistique, du plus simple au plus approfondi. Le DELF est ainsi constitué de **4 diplômes** correspondant aux **4 premiers niveaux** du CECRL.

UTILISATEUR ÉLÉMENTAIRE	A1	Peut comprendre et utiliser des expressions familières et quotidiennes ainsi que des énoncés très simples qui visent à satisfaire des besoins concrets. Peut se présenter ou présenter quelqu'un et poser à une personne des questions la concernant – par exemple, sur son lieu d'habitation, ses relations, ce qui lui appartient, etc. – et peut répondre au même type de questions. Peut communiquer de façon simple si l'interlocuteur parle lentement et distinctement et se montre coopératif.
	A2	Peut comprendre des phrases isolées et des expressions fréquemment utilisées en relation avec des domaines immédiats de priorité (par exemple, informations personnelles et familiales simples, achats, environnement proche, travail). Peut communiquer lors de tâches simples et habituelles ne demandant qu'un échange d'informations simple et direct sur des sujets familiers et habituels. Peut décrire avec des moyens simples sa formation, son environnement immédiat et évoquer des sujets qui correspondent à des besoins immédiats.
UTILISATEUR INDÉPENDANT	B1	Peut comprendre les points essentiels quand un langage clair et standard est utilisé et s'il s'agit de choses familières dans le travail, à l'école, dans les loisirs, etc. Peut se débrouiller dans la plupart des situations rencontrées en voyage dans une région où la langue cible est parlée. Peut produire un discours simple et cohérent sur des sujets familiers et dans ses domaines d'intérêt. Peut raconter un événement, une expérience ou un rêve, décrire un espoir ou un but et exposer brièvement des raisons ou explications pour un projet ou une idée.
	B2	Peut comprendre le contenu essentiel de sujets concrets ou abstraits dans un texte complexe, y compris une discussion technique dans sa spécialité. Peut communiquer avec un degré de spontanéité et d'aisance tels qu'une conversation avec un locuteur natif ne comporte de tension ni pour l'un ni pour l'autre. Peut s'exprimer de façon claire et détaillée sur une grande gamme de sujets, émettre un avis sur un sujet d'actualité et exposer les avantages et les inconvénients de différentes possibilités.

Chaque examen donne droit au diplôme et chaque diplôme est indépendant des autres : les candidats peuvent ainsi opter pour une progression régulière en soutenant les différents examens successivement, au fur et à mesure que leurs compétences s'affirment. Ou bien ils peuvent choisir de s'inscrire à un examen unique qui attestera le niveau des connaissances acquises. Comme tous les autres diplômes français, le DELF est **valable sans limitation de durée**.

En accord avec les autorités éducatives locales, le C.I.E.P. propose depuis 2000 le **DELF scolaire**, diplôme spécialement conçu pour les élèves qui apprennent le français dans le cadre de leur scolarité. Cet examen réservé aux plus jeunes certifie le même niveau de compétence que le DELF destiné aux candidats adultes : seuls les documents choisis et les thématiques proposées sont adaptés à un public adolescent.
La reconnaissance du DELF scolaire varie selon les pays (le diplôme français permet d'obtenir une attestation de connaissance de la langue, des crédits pour l'examen de fin d'études secondaires ou dans certaines facultés).

Une certification claire

- Les examens du DELF sont articulés en **4 grandes épreuves** qui évaluent les **4 compétences** : compréhension et production écrites, compréhension et production orales.
- L'examen comporte **3 épreuves collectives** (dans l'ordre du devoir : compréhension orale, compréhension et production écrites) et **1 épreuve individuelle** (production orale).
- La difficulté des épreuves, comme la longueur de l'examen, est **progressive**.

DELF A1	DELF A2	DELF B1	DELF B2
1h20	1h40	1h45	2h30

- **Chaque épreuve est notée sur 25**. La note maximale pour l'examen est de 100. Pour réussir l'examen, le candidat **doit obtenir la moyenne** (soit 50 sur 100) et **une note minimale** de 5/25 à chacune des épreuves.
- Les documents choisis dans le cadre des épreuves sont généralement authentiques et reflètent **l'actualité du monde francophone** dans toute sa modernité.
- Le DELF scolaire propose des exercices familiers à l'apprenant de FLE (l'écoute de documents enregistrés, la rédaction de lettres, amicales ou formelles, de petits essais en langue, les jeux de rôle…) et les savoir-faire demandés reprennent **les grands axes du cours de langue** (capacité à se présenter, à donner son avis, à présenter un document, à interagir…).

→ Pour en savoir plus sur le DELF : **www.ciep.fr**

Le DELF scolaire A2

Le **DELF scolaire A2** s'adresse à des élèves qui ont déjà une bonne maîtrise des bases. L'examen atteste les compétences d'un niveau A2 du CECRL.

COMPRENDRE		PARLER		ÉCRIRE
Écouter	Lire	Prendre part à une conversation	S'exprimer oralement en continu	Écrire
Je peux comprendre des expressions et un vocabulaire très fréquent relatifs à ce qui me concerne de très près (par exemple moi-même, ma famille, les achats, l'environnement proche, le travail). Je peux saisir l'essentiel d'annonces et de messages simples et clairs.	Je peux lire des textes courts très simples. Je peux trouver une information particulière prévisible dans des documents courants comme les publicités, les prospectus, les menus et les horaires et je peux comprendre des lettres personnelles courtes et simples.	Je peux communiquer lors de tâches simples et habituelles ne demandant qu'un échange d'informations simple et direct sur des sujets et des activités familiers. Je peux avoir des échanges très brefs même si, en règle générale, je ne comprends pas assez pour poursuivre une conversation.	Je peux utiliser une série de phrases ou d'expressions pour décrire en termes simples ma famille et d'autres gens, mes conditions de vie, ma formation et mon activité professionnelle actuelle ou récente.	Je peux écrire des notes et messages simples et courts. Je peux écrire une lettre personnelle très simple, par exemple de remerciements.

Mode d'emploi

Destination DELF est un **manuel de préparation spécifique** destiné aux **candidats scolaires** à l'examen de certification en langue française.
Le volume est articulé en **4 grands chapitres** correspondant aux **4 épreuves de l'examen** (compréhension orale et écrite, production écrite et orale). Chacun des chapitres propose une **progression rigoureuse** visant à la révision des compétences acquises en classe et à l'acquisition des savoir-faire spécifiques nécessaires pour affronter toutes les épreuves sereinement.
Toutes les activités ont été conçues dans le respect le plus strict des **recommandations officielles** qui déterminent le contenu des épreuves proposées par la **Commission Nationale** du DELF. Elles ont été choisies pour permettre à l'enseignant d'organiser la préparation à l'examen avec le groupe classe, mais donnent également la possibilité au candidat de déterminer un parcours en autonomie en fonction de ses attentes et de ses besoins.

Un chapitre par compétence

Au début du chapitre, une **double page de présentation** permet au candidat de mobiliser de manière synthétique toutes les informations indispensables à une bonne connaissance de l'examen.

Sur la page de gauche…

- **la typologie précise de l'épreuve** est analysée clairement (nombre des exercices et contenu, durée et organisation générale) ;
- **le déroulement de l'épreuve** est présenté grâce à une « mise en situation » très simple sous la forme d'une petite bande dessinée où sont évoquées les contraintes de l'examen, associées aux conseils à suivre pour surmonter facilement les difficultés de l'épreuve.

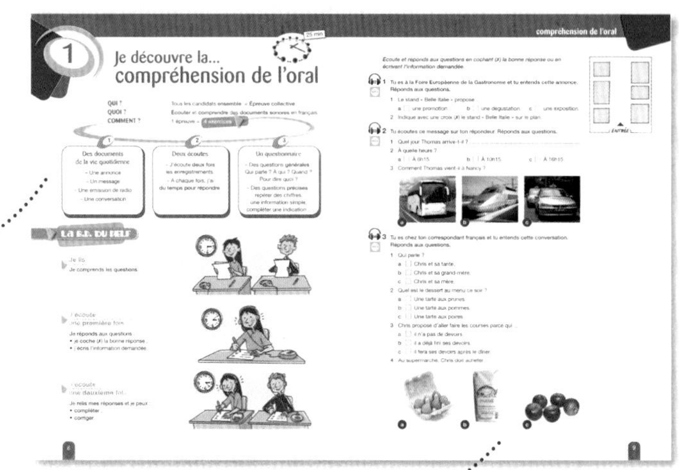
1 Je découvre la… compréhension de l'oral

compréhension de l'oral

Sur la page de droite…

- **une épreuve-type** permet à chacun de comprendre les mécanismes des exercices proposés.

Construit et organisé de manière progressive, chaque chapitre propose un nombre important d'activités variées à faire en classe ou chez soi, qui introduisent ou reproduisent les conditions de l'examen.
Les **supports choisis** permettent une exploration progressive de la **réalité française et francophone** dans ses aspects les plus actuels.
Les exercices permettent une révision systématique des compétences nécessaires et l'acquisition progressive des savoir-faire spécifiques à la maîtrise de l'épreuve.

Au fil des pages **différentes rubriques** facilitent la mémorisation des connaissances indispensables :

- « **Mes mots** » propose des révisions lexicales ciblées, généralement ordonnées selon une logique thématique ;
- « **Mémo** » s'attache aux points de grammaire indispensables.

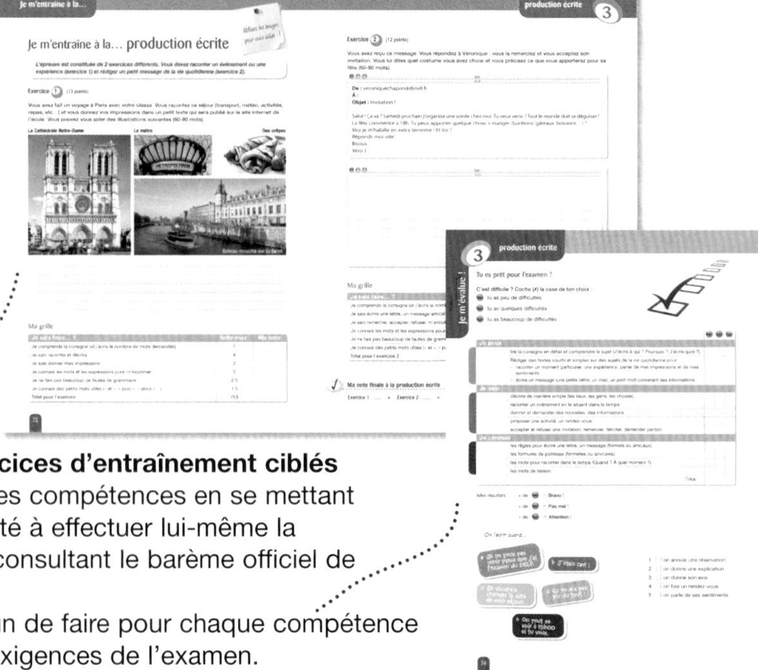
Je m'entraîne à la…

Je m'entraîne à la… production écrite

production écrite

3 production écrite

À la fin de chaque chapitre…

- un **espace spécifique consacré à des exercices d'entraînement ciblés** propose à l'élève de tester immédiatement ses compétences en se mettant **dans les conditions de l'examen** : il est invité à effectuer lui-même la correction de ce « **mini examen blanc** » en consultant le barème officiel de l'épreuve ;
- une **fiche d'auto-évaluation** permet à chacun de faire pour chaque compétence un véritable bilan des acquis au regard des exigences de l'examen.

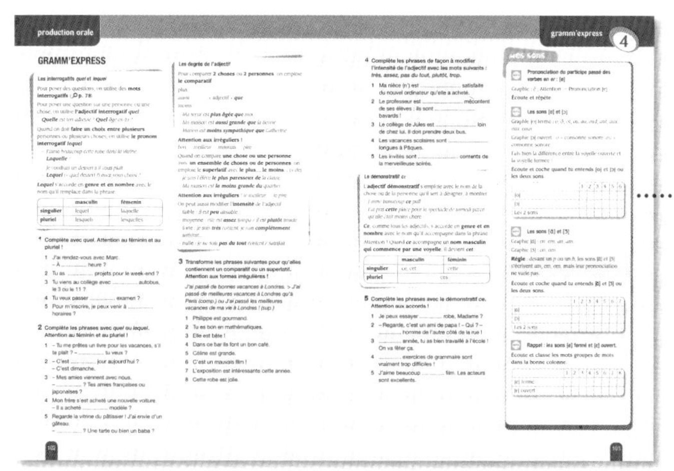

Aller plus loin…

Chaque chapitre suggère également à l'enseignant et à la classe un approfondissement des activités proposées durant la progression :

- **une double-page de grammaire et de phonétique** permet de réviser des éléments fondamentaux concernant la structure et le maniement de la langue ;

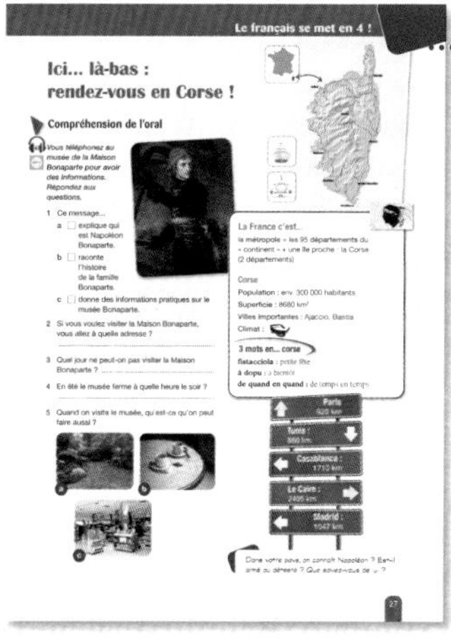

- **« Le français se met en 4 »** invite à une exploration systématique des thèmes de **l'actualité française et francophone** : chacun de ces **mini-dossiers de civilisation** offre la possibilité de découvrir la réalité du monde francophone par le biais d'exercices originaux qui épousent la logique de l'examen.

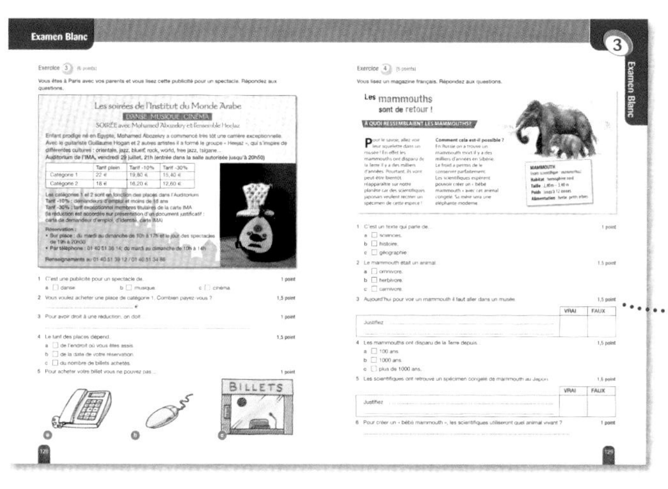

Le manuel propose enfin **3 examens blancs** complets avec leur barème pour permettre au candidat d'évaluer sereinement ses compétences avant la session de son choix.

Les « plus »…

- le manuel est accompagné de son **CD Audio-Rom**, qui contient tous les enregistrements utilisés pour la compréhension de l'oral ainsi que les 3 examens blancs proposés en **version interactive**, complétés par une **quatrième épreuve**.
- **le site** met à disposition des enseignants **pour chaque niveau** :
  - tous les enregistrements utilisés pour la compréhension de l'oral sous la forme de **fichiers déchargeables (MP3)** ;
  - un **guide pédagogique** complet contenant des suggestions pour la progression didactique ;
  - les **corrigés** de tous les exercices ;
  - toutes les **transcriptions** des documents audio ;
  - les **documents officiels** qui accompagnent les épreuves.

Le pictogramme indique le numéro de la piste à écouter sur le CD.

Le pictogramme indique un enregistrement disponible en ligne (déchargeable sur www.blackcat-cideb.com).

25 min

Je découvre la... compréhension de l'oral

QUI ? Tous les candidats **ensemble**. = **Épreuve collective.**

QUOI ? **Écouter** et **comprendre** des **documents sonores** en français.

COMMENT ? 1 épreuve = **4 exercices**

1 — Des documents de la vie quotidienne

- Une annonce
- Un message
- Une émission de radio
- Une conversation

2 — Deux écoutes

- J'écoute **deux fois** les enregistrements.
- À chaque fois, j'ai **du temps pour répondre**.

3 — Un questionnaire

- Des questions **générales** : Qui parle ? À qui ? Quand ? Pour dire quoi ?
- Des questions **précises** : repérer des chiffres, une information simple, compléter une indication...

La B.D. du DELF

Je lis

Je comprends les **questions**.

J'écoute une **première** fois

Je **réponds** aux questions :
- je **coche** (✗) la bonne réponse ;
- j'**écris** l'information demandée.

J'écoute une **deuxième** fois

Je **relis mes réponses** et je peux :
- **compléter** ;
- **corriger**.

Écoute et réponds aux questions en cochant (✗) la bonne réponse ou en écrivant l'information demandée.

ENTRÉE

02 MP3 **1 Tu es à la Foire Européenne de la Gastronomie et tu entends cette annonce. Réponds aux questions.**

1 Le stand « Belle Italie » propose…

a ☐ une promotion. b ☐ une dégustation. c ☐ une exposition.

2 Indique avec une croix (✗) le stand « Belle Italie » sur le plan.

03 MP3 **2 Tu écoutes ce message sur ton répondeur. Réponds aux questions.**

1 Quel jour Thomas arrive-t-il ? ....

2 À quelle heure ?

a ☐ À 6h15. b ☐ À 10h15. c ☐ À 16h15.

3 Comment Thomas vient-il à Nancy ?

a b c

04 MP3 **3 Tu es chez ton correspondant français et tu entends cette conversation. Réponds aux questions.**

1 Qui parle ?

a ☐ Chris et sa tante.
b ☐ Chris et sa grand-mère.
c ☐ Chris et sa mère.

2 Quel est le dessert au menu ce soir ?

a ☐ Une tarte aux prunes.
b ☐ Une tarte aux pommes.
c ☐ Une tarte aux poires.

3 Chris propose d'aller faire les courses parce qu'…

a ☐ il n'a pas de devoirs.
b ☐ il a déjà fini ses devoirs.
c ☐ il fera ses devoirs après le dîner.

4 Au supermarché, Chris doit acheter…

a b c

J'identifie le message

1 Tu vas entendre 4 messages sonores. Écoute et écris le numéro du document qui correspond à l'image.

MÉMO

Attention aux dialogues !

tu (amical)

vous (formel)

a ◯

b ◯

c ◯

d ◯

06 MP3 **2** Tu vas entendre 4 documents sonores. Quand tu entends ces annonces, qu'est-ce que tu fais ?

a ☐ Tu es en voyage.
b ☐ Tu fais les magasins.
c ☐ Tu es en classe.
d ☐ Tu demandes ton chemin.

07 MP3 **3** Tu écoutes la radio. Qu'est-ce que tu entends ? Écoute et écris le numéro du document qui correspond.

a ☐ Une émission musicale.
b ☐ Les prévisions météo.
c ☐ Un bulletin d'informations.
d ☐ Une publicité.

08 MP3 **4** Tu vas entendre 4 petits dialogues. Pour chaque dialogue, indique par une croix si les interlocuteurs se connaissent ou pas.

	1	2	3	4
Ils se connaissent.				
Ils ne se connaissent pas.				

DELF en poche !

Identifier un message, c'est...

✓ reconnaître une **situation de communication** (Qui parle ? À qui ? Pour dire quoi ?).

Les documents sonores proposés à l'examen sont **courts** et **simples**. Ils correspondent à des **situations de la vie quotidienne** : une **conversation**, une **annonce** (dans un **lieu public**, dans les **transports en commun**), des **informations**, des **publicités** (à la **radio**, dans un **magasin**), un **message enregistré** (sur un répondeur)...

Je repère les informations essentielles

MÉMO

Les mots interrogatifs

p. 78

1 Tu vas entendre plusieurs petits documents sonores correspondant à des situations différentes. Lis les questions et réponds.

Qui ?

Situation n° 1 : Qui appelle ?

a ☐ Monsieur Dubois.

b ☐ La secrétaire de la société BRAVO !

c ☐ La directrice de la société BRAVO !

Situation n° 2 : Qui peut participer au jeu ?

a ☐ Les plus de 13 ans.

b ☐ Les moins de 18 ans.

c ☐ Les 13-18 ans.

Quoi ?

Situation n° 1 : Que doit acheter Daniel ?

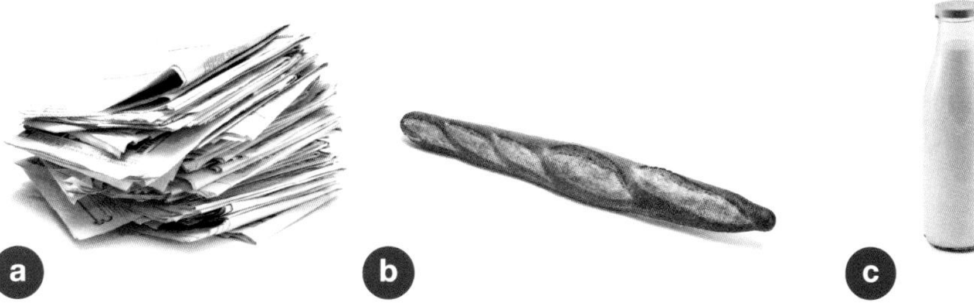

a b c

Situation n° 2 : On demande quoi ?

a ☐ La clé d'une chambre.

b ☐ Le numéro de téléphone d'un hôtel.

c ☐ Une chambre d'hôtel.

Quand ?

Situation n° 1 : Le rendez-vous est quel jour ?

a ☐ Lundi. b ☐ Mardi. c ☐ Mercredi.

Situation n° 2 : Quand tu entends cette annonce à l'aéroport...

a ☐ tu arrives. b ☐ tu pars. c ☐ tu attends quelqu'un.

DELF en poche !

Repérer les informations essentielles, c'est...

✓ comprendre la **situation de communication** et donc...

✓ pouvoir répondre à des **questions simples** : Qui parle ? À qui ? De quoi ? Pourquoi ? Où ? Quand ?

Où ?

Situation n° 1 : Où est-ce ?

a ☐ Dans un magasin. b ☐ Dans un restaurant. c ☐ Dans un hôtel.

Situation n° 2 : Les vainqueurs du concours vont où ?

a

b

c

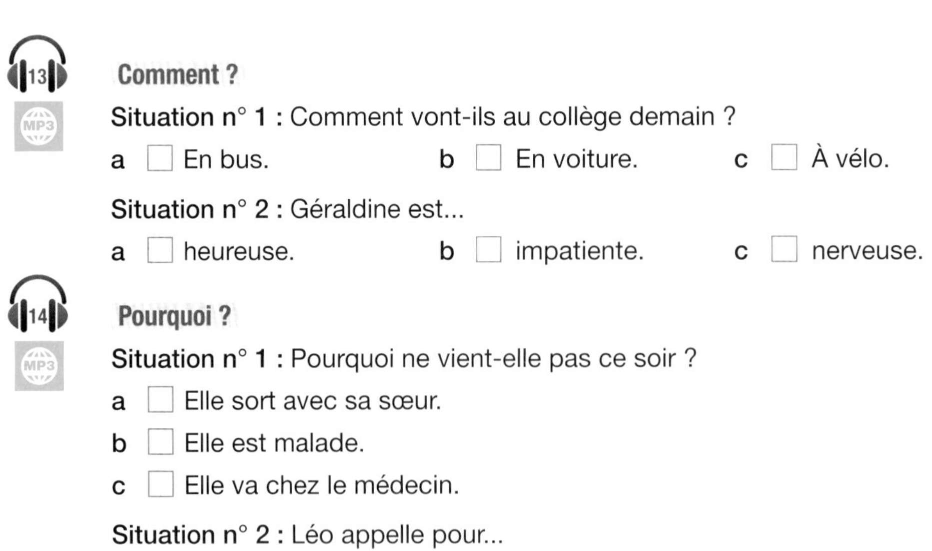

Comment ?

Situation n° 1 : Comment vont-ils au collège demain ?

a ☐ En bus. b ☐ En voiture. c ☐ À vélo.

Situation n° 2 : Géraldine est...

a ☐ heureuse. b ☐ impatiente. c ☐ nerveuse.

Pourquoi ?

Situation n° 1 : Pourquoi ne vient-elle pas ce soir ?

a ☐ Elle sort avec sa sœur.

b ☐ Elle est malade.

c ☐ Elle va chez le médecin.

Situation n° 2 : Léo appelle pour...

	inviter	annuler un rendez-vous	confirmer un rendez-vous	s'excuser	féliciter
1					
2					
3					
4					
5					

Je repère une information précise

1 Tu passes un mois dans un collège en France. Le professeur principal te donne des informations sur l'emploi du temps. Lis les questions, écoute le document et réponds.

1 Tu es dans quelle classe ? ....

2 Le lundi, le mercredi et le vendredi, que dois-tu apporter ?

a b c

3 Tu peux aller à la bibliothèque à partir de quelle heure ?

a ☐ 8h30. b ☐ 9h00. c ☐ 9h30.

4 Qui est Madame Leduc ? ....

5 Deux fois par mois, les élèves vont...

a

b

c

6 Tu as cours de biologie en salle ....

7 Quel est le numéro de portable du professeur ? 06 . ...

2 Tu participes à la « Journée pour le Français ». Écoute la présentation de tes camarades. Réponds aux questions.

1 Javier a quel âge ? ....

2 Samantha est née quel mois ? ....

3 Abdel est né quel jour ? ....

DELF en poche !

Comprendre un document sonore, c'est...

✓ repérer les **informations utiles** pour pouvoir répondre à des **questions précises** : on peut me demander un numéro de téléphone, un nom, un lieu...

Attention ! À l'examen on **demande souvent des chiffres** : horaires, dates, prix, quantités, âges, numéros (de téléphone, d'un avion, d'un train...).

✓ **bien écouter l'enregistrement** : les questions suivent toujours **l'ordre du document** !

17 MP3 **3 Tu entends cette conversation. Réponds aux questions.**

1 Le spectacle est...
a ☐ aujourd'hui. b ☐ demain. c ☐ après-demain.

2 Vanessa va au spectacle avec...
a ☐ son frère. b ☐ sa sœur. c ☐ ses parents.

3 Pour avoir des informations, Jules peut consulter le site...
a ☐ www.cirque.du.soleil.com
b ☐ www.cirque-du-soleil.com
c ☐ www.cirquedusoleil.com

18 MP3 **4 Tu écoutes la radio. Complète l'almanach de demain !**

Mon almanach

DATE : .... SEMAINE : ....
LEVER DU SOLEIL : .... h ....
COUCHER DU SOLEIL : .... h ....

C'est la fête des Raïssa !

Mes mots

Acheter, vendre

(profiter d')
une offre spéciale,
une promotion,
une réduction
les soldes

19 MP3 **5 Tu es à la billetterie pour acheter des places pour le Cirque du Soleil et tu entends cette conversation. Réponds aux questions.**

1 On a le choix entre plusieurs tarifs avec des places à...
a ☐ 25€, 36€, 70€. b ☐ 20€, 36€, 75€. c ☐ 25€, 36€, 75€.

2 Le *Tarif Jeunes* est à...
a ☐ 12€. b ☐ 13€. c ☐ 16€.

20 MP3 **6 Tu entends ce message sur un répondeur. Où dois-tu aller pour retrouver ton amie ?**

a ENTRÉE

b ENTRÉE

c ENTRÉE

Je comprends une annonce et des instructions orales

1 Tu es à Paris et tu demandes ton chemin. Écoute bien les explications. Peux-tu remettre les panneaux dans l'ordre ? Associe chaque panneau à un numéro de 1 à 4.

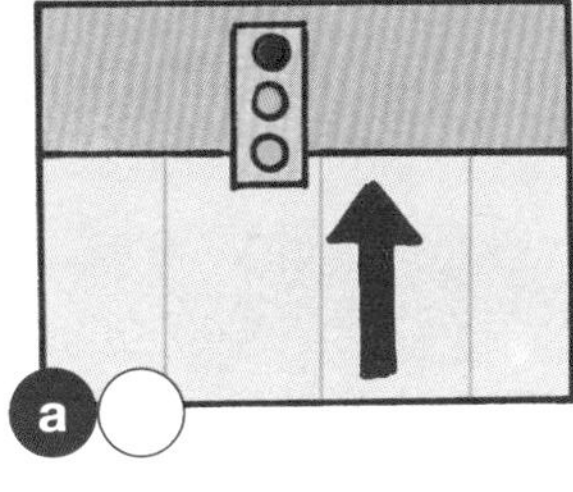

a ◯ b ◯

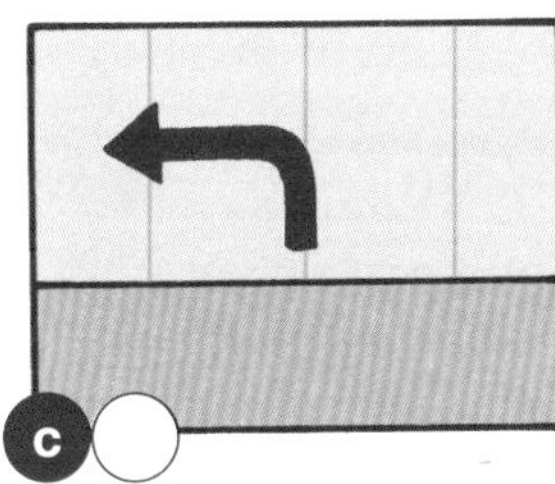

c ◯ d ◯

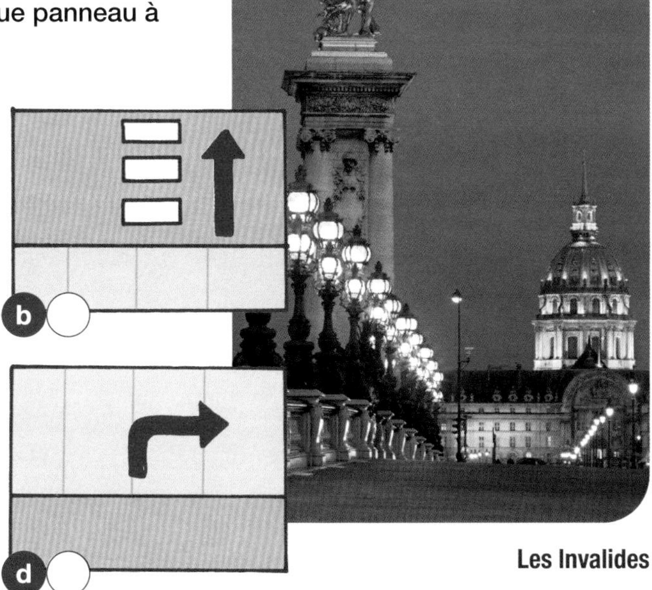

Les Invalides

2 Tu es à la piscine en France et tu entends cette annonce.

1 Avant de se baigner, que doit-on faire ? ....

2 Pour se baigner, il faut protéger...

a ☐ ses yeux. b ☐ ses cheveux. c ☐ sa peau.

3 Aujourd'hui la piscine ferme à quelle heure ?

a ☐ 16h00. b ☐ 16h30. c ☐ 17h00.

4 Aujourd'hui qui vient à la piscine ?

MES MOTS

S'orienter

(tourner, prendre) à gauche, à droite

(aller, continuer) tout droit

derrière, devant

en face (de), à côté (de)

MÉMO

Attention!

Pour donner des instructions, on utilise l'**infinitif** ou **l'impératif**.

Tourne(z) *à droite...*
Tourner *à droite...*

Allez (Va) *tout droit...*
Aller *tout droit...*

N'oublie(z) *pas de...*
Ne pas oublier *de...*

MÉMO

Situer dans le temps (1)

- (À quelle heure ?)
  - **à**

  Le magasin ferme ***à*** *21h00.*
  - (à partir) **de**... (jusqu') **à**...

  Le magasin est ouvert ***de*** *9h00* ***à*** *19h00.*

  Ce restaurant ouvre ***de*** *juin* ***à*** *octobre.*
- (À quel moment ?)
  - **en**

  Je pars en vacances ***en*** *juillet.* **p. 30**

3 Tu vas chercher un ami à la gare en France. Réponds aux questions.

1 Ton ami arrive d'où ? ....

Arrivées

N°	TRAIN	PROVENANCE	HEURE
8417	TER	BOURGES	11H40
6862	TGV	PARIS	11H46
1452	INTERCITÉS	BRIVE	11H56

2 Le train est...
- a ☐ en avance.
- b ☐ à l'heure.
- c ☐ en retard.

3 Tu es en gare de...
- a ☐ Tours.
- b ☐ Bourges.
- c ☐ Brive.

4 Les passagers qui continuent leur voyage ont une correspondance voie ....

MES MOTS

Voyager

le départ, l'arrivée, la destination, la provenance
une correspondance
un changement d'horaire, un retard
un billet, une réservation, une annulation

- à la gare (en train, dans le train)
  - le quai, la voie
  - composter un billet
  - rater son train
- à l'aéroport (en avion, dans l'avion)
  - la carte d'embarquement
  - le contrôle de sécurité
  - l'hôtesse
  - rater son avion

4 Tu es dans un grand magasin en France. Réponds aux questions.

1 On annonce...
- a ☐ la fête du cinéma.
- b ☐ l'organisation d'un jeu.
- c ☐ la visite de Catherine Deneuve.

2 La promotion est sur quel produit ? ....

3 La réduction est de .... %

4 On peut jouer jusqu'à...
a ☐ vendredi. b ☐ samedi. c ☐ dimanche.

5 Qu'est-ce qu'on gagne ?

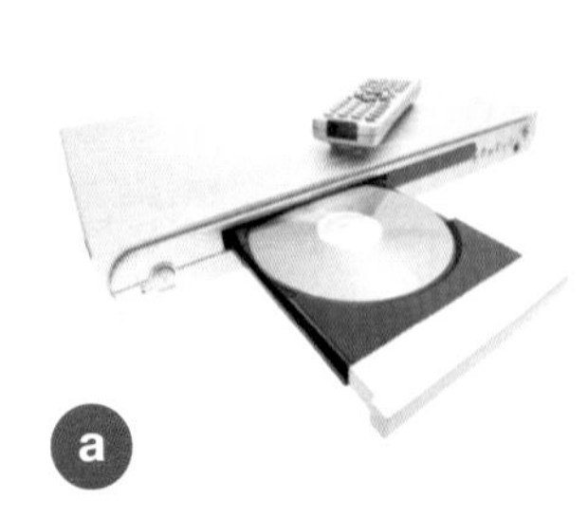
a

b

c

Je comprends un message oral

1 Tu écoutes le message de ton correspondant. Réponds aux questions.

1 Pourquoi Thierry te laisse-t-il un message ?
a ☐ Il veut te parler de ses vacances.
b ☐ Tu lui as demandé quelque chose.
c ☐ Il veut te demander quelque chose.

2 C'est une recette pour quelle occasion ? ....

3 C'est une recette pour faire...
a ☐ une entrée. b ☐ un plat. c ☐ un dessert.

4 Quel est l'ingrédient que l'on n'utilise pas dans la recette ?

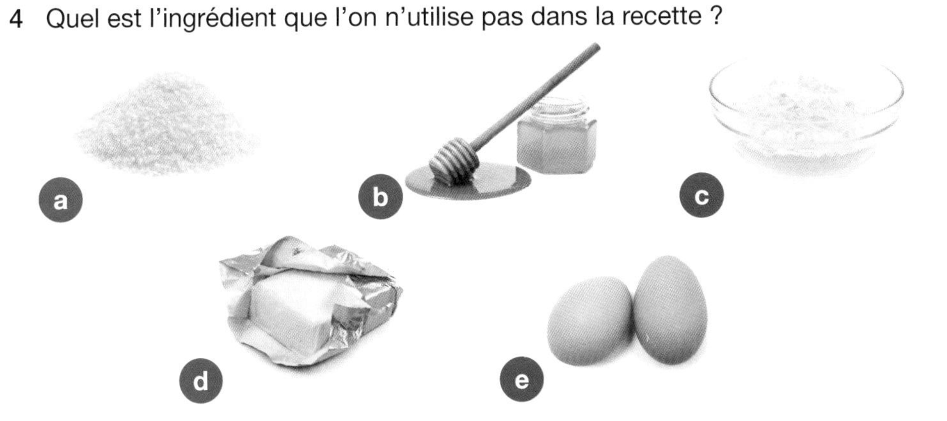

2 Tu écoutes ton répondeur. Réponds aux questions.

1 Qu'est-ce que tu as oublié chez Pascale ?

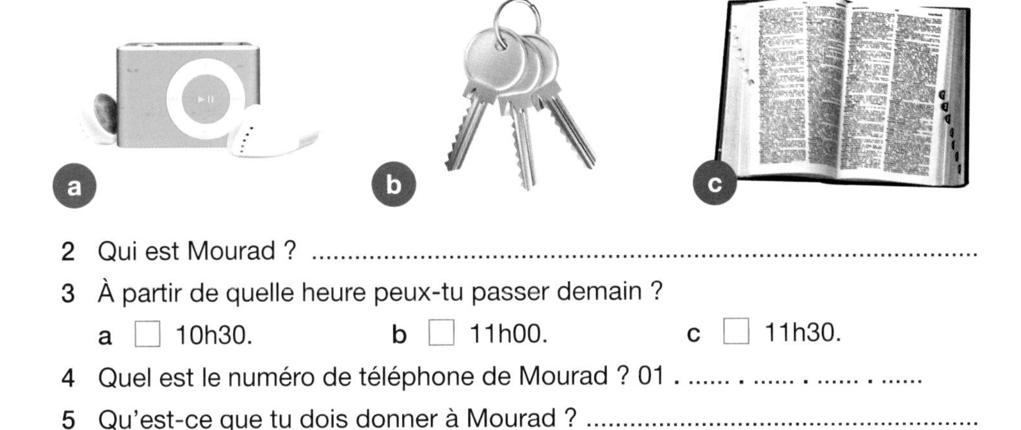

2 Qui est Mourad ? ....

3 À partir de quelle heure peux-tu passer demain ?
a ☐ 10h30. b ☐ 11h00. c ☐ 11h30.

4 Quel est le numéro de téléphone de Mourad ? 01 . ...

5 Qu'est-ce que tu dois donner à Mourad ? ....

Mes mots

Téléphoner

Appeler/ rappeler
(*Pouvez-vous rappeler le + n°*)
Laisser / écouter un message
un répondeur
(*Vous êtes sur le répondeur de...*)
un (téléphone) portable

DELF en poche !

Compléter le questionnaire, c'est...

✓ **savoir choisir** entre **3 réponses possibles** (mots ou images) ;
✓ **écrire l'information demandée** : un **mot** / un **groupe de mots** ou des **chiffres**.

Quand tu écris la réponse, **l'orthographe ne compte pas dans ta note** !

3 **Tu téléphones à l'Office de Tourisme de Marseille. Tu entends ce message. Réponds aux questions.**

1 Qui est Béatrice ?

....

2 À partir de quelle heure peux-tu venir jeudi matin ?

a ☐ 9h00. b ☐ 9h30. c ☐ 10h00.

3 Samedi l'excursion est organisée où ?

a

b

c

4 Que dois-tu faire pour participer à l'excursion ?

....

MÉMO

Situer dans le temps (2)

(À quelle date ? Quel jour ?)

Attention !

Mercredi, je vais à la piscine (= mercredi prochain)

***Le** mercredi, je vais à la piscine* (= tous les mercredis)

On se voit ***tous les jours****.* = ***chaque*** *jour*

pp. 30, 63, 67

4 **Tu écoutes ce message sur ton répondeur. Réponds aux questions.**

1 Clara est avec qui ? ....

2 Maintenant Clara étudie quelle matière ?

a ☐ Histoire. b ☐ Mathématiques. c ☐ Espagnol.

3 Pourquoi Clara a-t-elle téléphoné ?

a ☐ Elle a besoin d'un livre.

b ☐ Elle a un problème.

c ☐ Elle veut un numéro de téléphone.

4 Tu peux rappeler Clara à quel numéro ? 04 . ...

5 Clara va à la piscine quel jour ?

a b c

6 Que doit faire Clara demain ? ....

Je comprends une émission de radio

29 MP3 **1 Tu es en France et tu écoutes la radio. Réponds aux questions.**

1 C'est une émission qui parle de...
a ☐ culture. b ☐ sciences. c ☐ sport.
d ☐ économie. e ☐ santé. f ☐ voyages.

2 C'est une émission que l'on peut écouter une fois...
a ☐ par jour. b ☐ par semaine. c ☐ par mois.

3 Qui est l'animateur de l'émission ? ....

4 L'émission finit à quelle heure ?
a ☐ 12h30. b ☐ 13h30. c ☐ 14h30.

5 On peut appeler quel numéro ? ....

30 MP3 **2 Tu écoutes la radio. Réponds aux questions.**

1 C'est un festival de...

a

b

c

2 Le festival a lieu...
a ☐ au printemps. b ☐ en été. c ☐ en automne.

3 Le festival a été créé il y a plus de .... ans.

4 Combien de temps dure le festival ?
a ☐ Un mois. b ☐ Une semaine. c ☐ 3 semaines.

5 Quel est le programme du festival cette année ?
Nombre de spectacles : ....
Nombre de troupes : ....

6 Pour avoir des informations sur le festival, on peut consulter quel site ?
a ☐ www.festivalavignon.com
b ☐ www.festival-avignon.com
c ☐ www.festival.avignon.com

MES MOTS

Sortir

au cinéma
en boîte/en discothèque
au théâtre
au restaurant

un festival
un spectacle
un concert
une manifestation
une exposition
un défilé

MÉMO

Situer dans le temps (3)

(Combien de temps ? Depuis combien de temps ?)

Nous avons travaillé ensemble ***pendant*** *une heure.*

Le festival existe ***depuis*** *60 ans.*

Le festival a été créé ***il y a*** *60 ans.*

p. 55

3 Tu es en France et tu écoutes la radio. Réponds aux questions.

1 Quelle est la date de demain ? ....

2 Quel temps fait-il demain ?

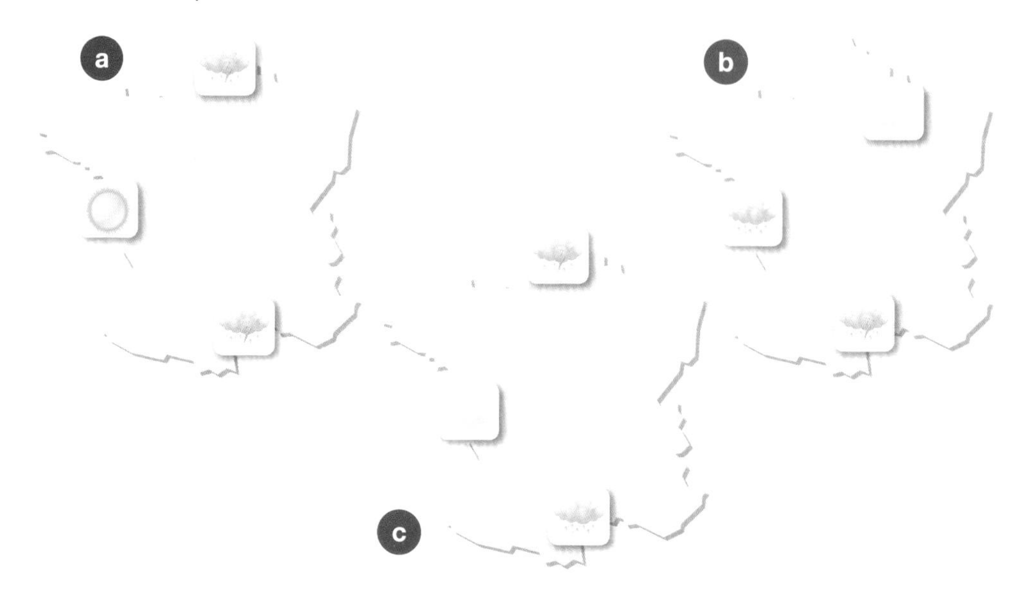

MES MOTS

Écouter la radio

une station de radio
une émission, un programme (quotidien(ne), hebdomadaire, mensuel(le)
un bulletin (d'informations, météo)
un journaliste, un(e) animateur(trice)
un envoyé spécial

3 Tu es en vacances dans le sud. Comment dois-tu t'habiller ?

4 Quelle température fera-t-il demain matin dans le sud ? ....

5 Quelles sont les prévisions pour le week-end ?

a ☐ Le temps est pire.
b ☐ Le temps est meilleur.
c ☐ Le temps ne change pas.

6 À quelle heure est le prochain bulletin météo ?

a ☐ 11h05. b ☐ 11h25. c ☐ 11h35.

Comprendre un document, c'est...

✓ **reconnaître la réponse** quand elle est donnée dans l'enregistrement ;

✓ être capable de **deviner la réponse** quand elle **n'est pas donnée directement** dans l'enregistrement.

Le mois de juillet, c'est le mois du Festival d'Avignon ! > le festival a lieu en été.

Je comprends une conversation

1 Tu es dans la cour du collège et tu entends cette conversation. Réponds aux questions.

1 Djamila est...

a

b

c

2 Claire est...

a ☐ surprise. b ☐ en colère. c ☐ contente.

3 Claire a prêté son livre de français il y a ....

4 Qu'est-ce que Frédéric conseille à Claire ? ....

2 Tu es en France et tu entends ce dialogue. Réponds aux questions.

1 Où es-tu ?

a ☐ Au commissariat de police. b ☐ À la poste. c ☐ À l'hôpital.

2 Quel est le problème de Madame Hervé ? ....

3 Ça s'est passé à quelle heure?

a 07:00 b 13:00 c 17:00

4 Quelle est la profession de Madame Hervé ?

a ☐ Secrétaire. b ☐ Employée des Postes. c ☐ Médecin.

3 Tu es au collège et tu entends cette conversation entre deux élèves.

1 Qu'est-ce qu'ils veulent faire samedi ?

a ☐ Voir un film.

b ☐ Fêter l'anniversaire d'un copain.

c ☐ Dîner ensemble.

2 Quel numéro doit-on appeler ? 05 . ...

3 C'est pour combien de personnes ? ....

DELF en poche !

Compléter le questionnaire, c'est...

✓ bien écouter pour **éviter les pièges !** Quelquefois le questionnaire donne le choix entre 3 mots qui ont tous été proposés dans le document. Attention à ne pas se laisser « distraire » !

Madame Hervé travaille à l'hôpital, on lui a volé son sac devant la Poste et elle fait une déclaration de vol.
> Elle est au commissariat de police.

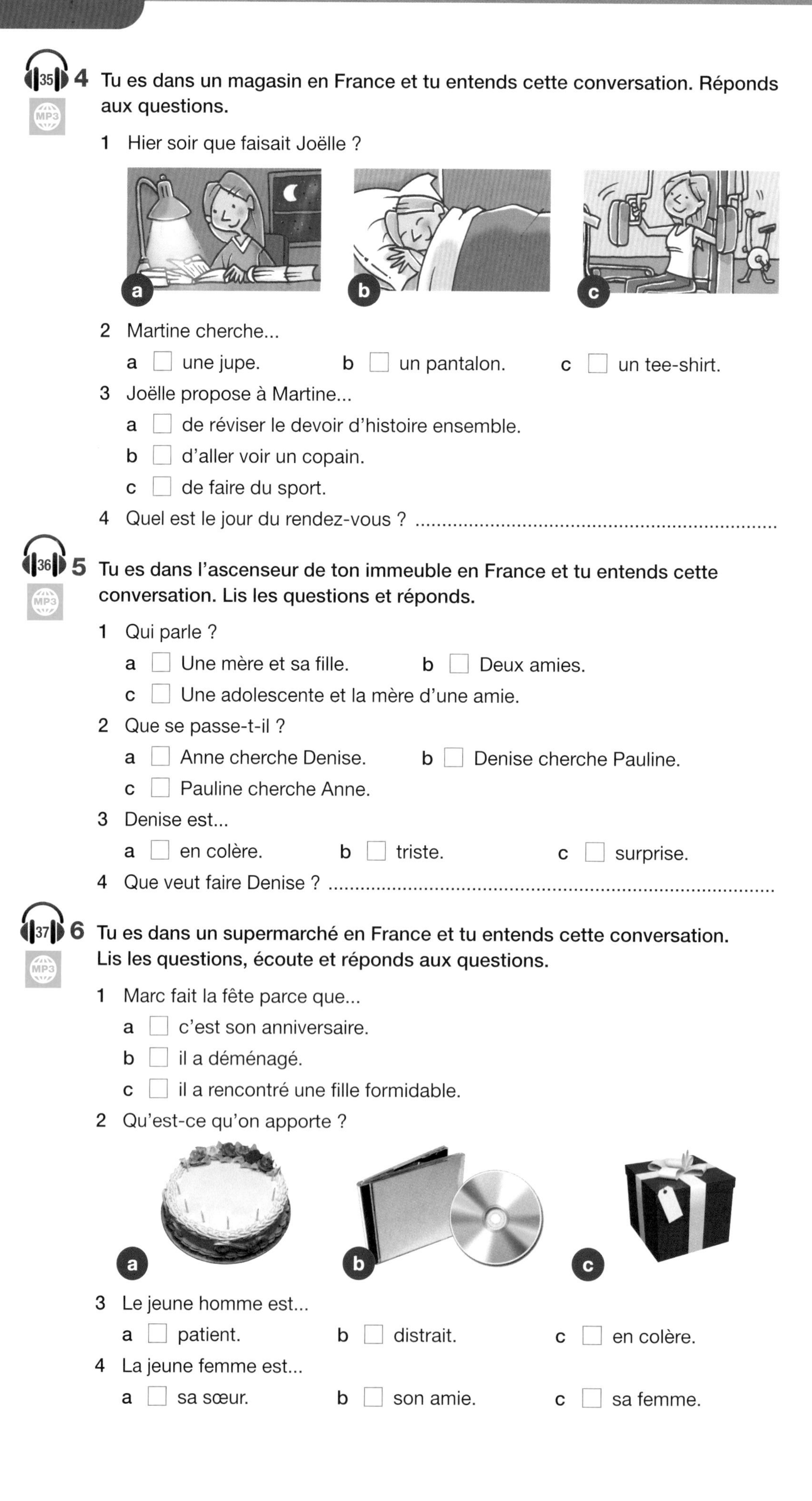

35 4 Tu es dans un magasin en France et tu entends cette conversation. Réponds aux questions.

1 Hier soir que faisait Joëlle ?

a b c

2 Martine cherche...

a ☐ une jupe. b ☐ un pantalon. c ☐ un tee-shirt.

3 Joëlle propose à Martine...

a ☐ de réviser le devoir d'histoire ensemble.

b ☐ d'aller voir un copain.

c ☐ de faire du sport.

4 Quel est le jour du rendez-vous ? ....

36 5 Tu es dans l'ascenseur de ton immeuble en France et tu entends cette conversation. Lis les questions et réponds.

1 Qui parle ?

a ☐ Une mère et sa fille. b ☐ Deux amies.

c ☐ Une adolescente et la mère d'une amie.

2 Que se passe-t-il ?

a ☐ Anne cherche Denise. b ☐ Denise cherche Pauline.

c ☐ Pauline cherche Anne.

3 Denise est...

a ☐ en colère. b ☐ triste. c ☐ surprise.

4 Que veut faire Denise ? ....

37 6 Tu es dans un supermarché en France et tu entends cette conversation. Lis les questions, écoute et réponds aux questions.

1 Marc fait la fête parce que...

a ☐ c'est son anniversaire.

b ☐ il a déménagé.

c ☐ il a rencontré une fille formidable.

2 Qu'est-ce qu'on apporte ?

a b c

3 Le jeune homme est...

a ☐ patient. b ☐ distrait. c ☐ en colère.

4 La jeune femme est...

a ☐ sa sœur. b ☐ son amie. c ☐ sa femme.

Tu es prêt pour l'examen ?

C'est difficile ? Coche (*X*) la case de ton choix :

- tu n'as pas de difficultés
- tu as quelques difficultés
- tu as beaucoup de difficultés

Je peux				
	écouter et comprendre des documents sonores courts et simples correspondant à des situations de communication simples et courantes.			
	identifier une situation de la vie quotidienne et le document qui correspond à cette situation.			
Je sais				
	repérer les informations essentielles contenues dans un document sonore.			
	repérer une/des information(s) précise(s) dans un document sonore (nom, lieu, date...).			
	éviter les pièges quand les informations données peuvent « distraire » mon attention !			
	suivre les indications données par un document pour reconnaître un itinéraire.			
	répondre à un questionnaire en choisissant parmi trois réponses possibles (mots ou images) ou en recopiant un/des mot(s) (ou des chiffres : date, horaire…) du texte.			
Je connais				
	les mots utilisés dans la communication de tous les jours (en famille, à l'école ou dans les lieux publics : magasin, gare, aéroport…) pour demander/donner des informations, acheter/vendre, organiser un événement, un rendez-vous…			
	les chiffres en français (et je comprends les dates, les prix, les horaires, les quantités, les numéros de téléphone…).			
	les mots, les expressions qui expriment les sentiments (et je sais reconnaître un sentiment quand il est exprimé dans un document sonore).			
	Total			

Mes résultats :

+ de → **Bravo !**

+ de → **Pas mal !**

+ de → **Attention !**

Quand tu entends...

a Vous êtes bien chez Lili, laissez votre message après le bip sonore.

b Salut ! Pour samedi, c'est d'accord ! Rendez-vous à 19h00 au café des Arts !

c Pardon Madame, où est la mairie ?

d Désolé, je ne peux pas venir ce soir, je suis malade.

e Les passagers du vol n° 367 sont attendus porte B.

Cela signifie que...

1 ☐ on écoute une annonce dans un lieu public.

2 ☐ on refuse une invitation.

3 ☐ on confirme un rendez-vous.

4 ☐ on demande une information.

5 ☐ on écoute un message.

Je m'entraîne à la... compréhension de l'oral

L'épreuve est constituée de 4 exercices basés sur 4 documents sonores. Pour chaque document, vous devez répondre à des questions. Vous disposez de 2 écoutes et de temps pour répondre après chaque écoute.

Vous allez entendre 4 enregistrements, correspondant à 4 documents différents.
Pour chaque document, vous aurez :
– 30 secondes pour lire les questions ;
– une première écoute, puis 30 secondes de pause pour commencer à répondre aux questions ;
– une seconde écoute, puis 30 secondes de pause pour compléter vos réponses.
Répondez aux questions en cochant (X) la bonne réponse, ou en écrivant l'information demandée.

38 Exercice 1 (4 points)

MP3

Vous êtes à Bordeaux et vous entendez cette annonce. Répondez aux questions.

1 Ce message s'adresse aux personnes qui aiment... **0,5 point**

a ☐ le cinéma. b ☐ la musique. c ☐ le théâtre.

2 C'est un événement pour les jeunes à partir de quel âge ? **2 points**

À partir de .... ans.

3 Le festival commence à quelle date ? **1 point**

....

4 Pour avoir des informations sur le festival, on peut... **0,5 point**

a ☐ lire le journal. b ☐ consulter un site Internet. c ☐ téléphoner.

Total pour l'exercice 1 .../4

39 Exercice 2 (5 points)

MP3

Vous entendez cette conversation dans la cour du collège.

1 Olivier n'aime pas... **1 point**

a ☐ arriver en retard. b ☐ marcher. c ☐ prendre le bus.

2 À partir de quel âge les jeunes peuvent-ils conduire une mobylette en France ? **1 point**

À partir de .... ans.

3 Qu'est-ce qu'Olivier veut proposer à ses parents ? **2 points**

....

4 Olivier et Salima sont... **1 point**

a ☐ amis. b ☐ frère et sœur. c ☐ voisins.

Total pour l'exercice 2 .../5

40 Exercice 3 (8 points)

MP3

Vous trouvez ce message sur votre répondeur. Répondez aux questions.

1 Qui a donné à Odile le programme du voyage en Angleterre ? **1 point**

a ☐ Le professeur d'anglais.
b ☐ Le responsable de classe.
c ☐ Le directeur du collège.

2 Pour aller en Angleterre, Odile prend… **1 point**

a b c

3 Dans quelle ville anglaise les films de Harry Potter ont-ils été réalisés ? **1 point**

a ☐ Oxford.
b ☐ Londres.
c ☐ Cambridge.

4 Odile ne va pas au collège demain pour avoir le temps de faire... **2 points**

a ☐ ses devoirs.
b ☐ sa carte d'identité.
c ☐ sa valise.

5 À quel numéro devez-vous rappeler Odile ? **2 points**

05 . ...

6 Quel jour Odile part-elle ? **1 point**

a ☐ Lundi.
b ☐ Mardi.
c ☐ Jeudi.

Total pour l'exercice 3 .../8

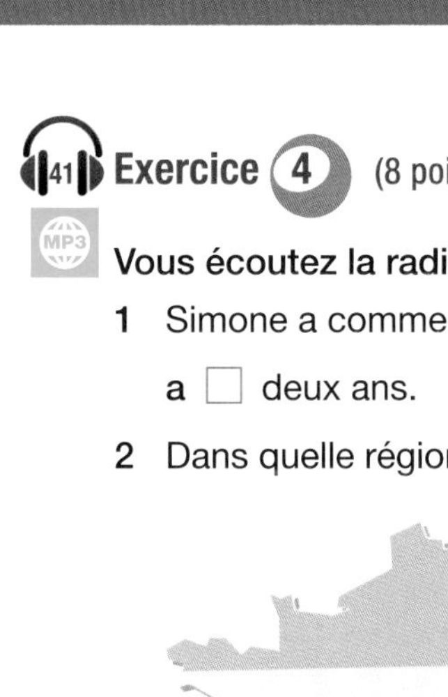

Exercice 4 (8 points)

Vous écoutez la radio. Répondez aux questions.

1 Simone a commencé à travailler comme vétérinaire il y a... — 2 points

a ☐ deux ans. b ☐ douze ans. c ☐ dix ans.

2 Dans quelle région de France Simone vit-elle ? — 2 points

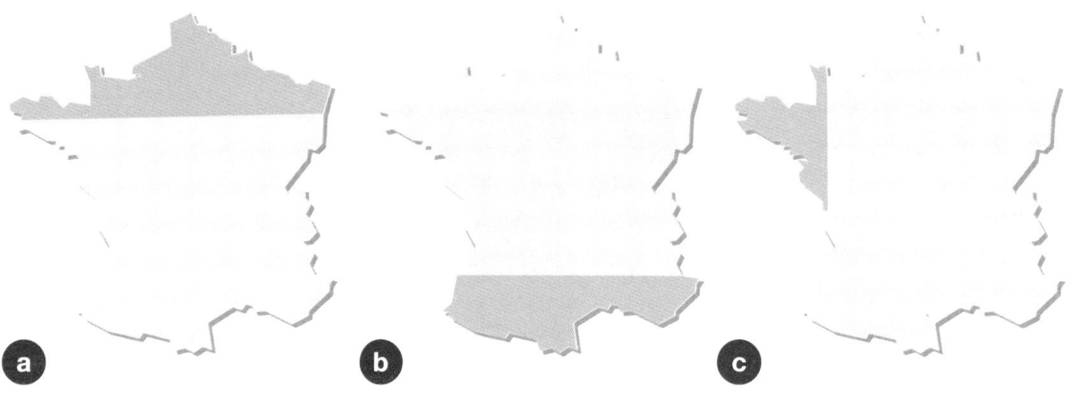

a b c

3 Elle fait des visites à domicile... — 2 points

a ☐ l'après-midi. b ☐ le soir. c ☐ le matin.

4 Cochez la photo des animaux que l'on cite dans le document. — 2 points

a

b

c

d

e

Total pour l'exercice 4 .../8

Ma note finale à la compréhension de l'oral

Exercice 1 ...... + Exercice 2 ...... + Exercice 3 ...... + Exercice 4 ...... = .../25

Ici... là-bas : rendez-vous en Corse !

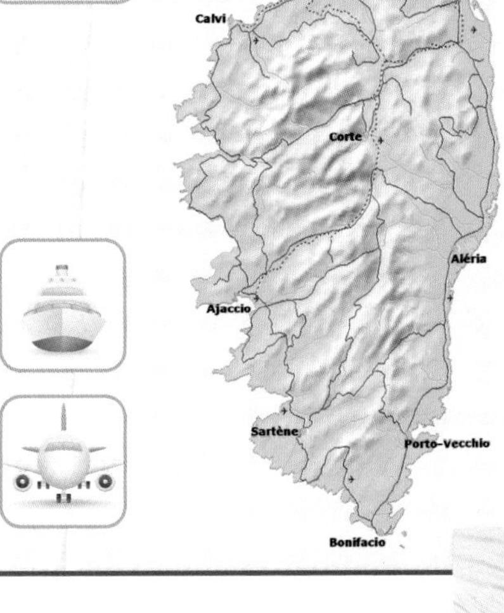

Compréhension de l'oral

Vous téléphonez au musée de la Maison Bonaparte pour avoir des informations. Répondez aux questions.

1 Ce message...
   a ☐ explique qui est Napoléon Bonaparte.
   b ☐ raconte l'histoire de la famille Bonaparte.
   c ☐ donne des informations pratiques sur le musée Bonaparte.

2 Si vous voulez visiter la Maison Bonaparte, vous allez à quelle adresse ?
....

3 Quel jour ne peut-on pas visiter la Maison Bonaparte ? ....

4 En été le musée ferme à quelle heure le soir ?
....

5 Quand on visite le musée, qu'est-ce qu'on peut faire aussi ?

a

b

c

La France c'est...

la **métropole** = les 95 **départements** du « continent » + une **île** proche : la Corse (2 départements)

Corse

Population : env. 300 000 habitants

Superficie : 8680 km^2

Villes importantes : Ajaccio, Bastia

Climat : 

3 mots en... corse

fistacciola : petite fête

à dopu : à bientôt

de quand en quand : de temps en temps

Dans votre pays, on connaît Napoléon ? Est-il aimé ou détesté ? Que savez-vous de lui ?

Compréhension des écrits

Vous voulez partir en vacances en Corse. Vous consultez une brochure touristique.

L'ALTRA TERRA E MARE (Corse)

Randonnée à pied mer/montagne : 8 jours / 7 nuits 14/17 ans

Partez à la découverte d'une montagne magnifique, d'une mer de rêve !

Formule : Mission nature ! (groupe : 12 personnes max.)

Randonnée : 5 à 7 h de marche par jour. Possibilité de mini-croisière (jour 5).

Niveau physique :
Si vous pratiquez un peu de jogging, de danse, de vélo ou tout autre sport, vous y arriverez !

Équipement Personnel
2 pulls chauds, vêtements de pluie, 1 pyjama, 1 paire de basket, lampe de poche, 1 crème solaire haute protection, 1 serviette de bain, 1 maillot de bain, 1 trousse de toilette complète, 1 serviette de toilette, 1 short, une paire de chaussures de montagne, 1 sac à dos.

Apportez une petite trousse de secours.

Argent de poche : 30€ suffisent.

Hébergement
5 nuits en refuge (chambres 2 lits) et deux nuits en camping (la tente est fournie). Pension complète pour toute la durée du séjour.

**Arrivée / Départ
(du dimanche au dimanche)
Ajaccio**

**Total pour 1 pers : 640€ *
(*sans le voyage France / Corse / supplément mini-croisière: 150€)**

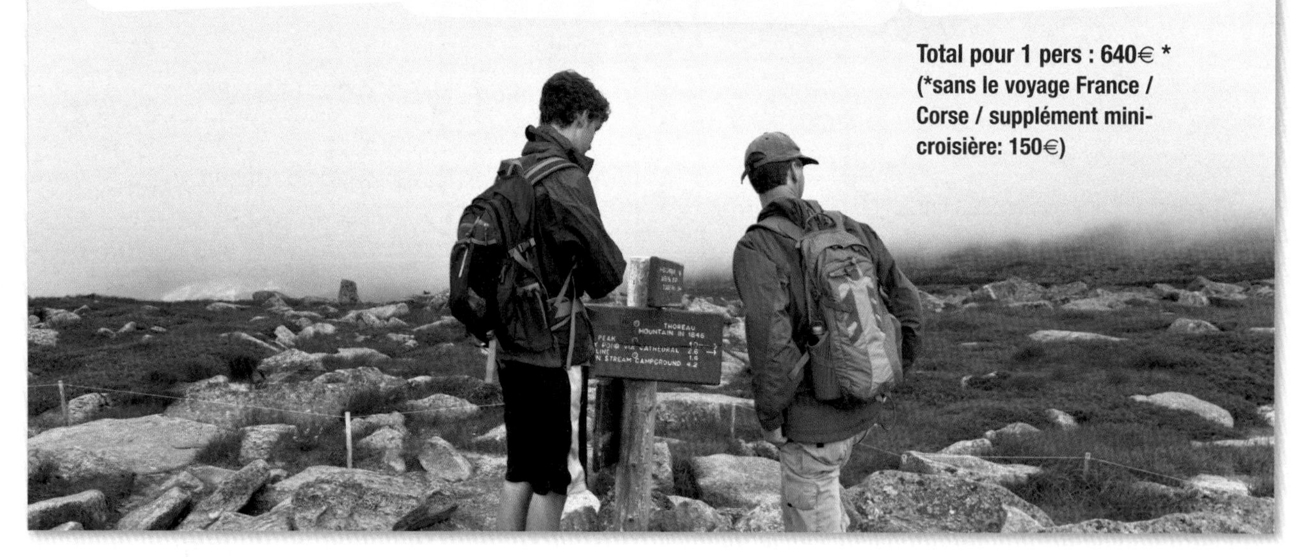

1 Pour participer...

a ☐ il n'est pas nécessaire d'avoir l'habitude de faire du sport.

b ☐ il suffit d'avoir l'habitude de faire un peu de sport.

c ☐ il faut avoir l'habitude de faire beaucoup de sport.

2 Qu'est-ce qui n'est pas compris dans le séjour ?

a ☐ Les repas.

b ☐ Le voyage.

c ☐ Le logement.

3 Qu'est-ce qui est fourni dans le séjour ?

....

4 Qu'est-ce que vous devez emporter ?

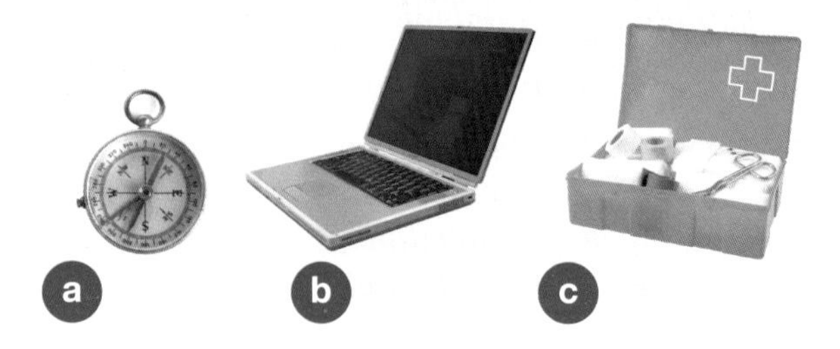

5 Vous voulez faire la mini-croisière. Combien payez-vous ? .... €

Production écrite

Cet été vous êtes allé(e) en séjour randonnée en Corse ! Vous écrivez à un(e) ami(e) français(e) et vous lui racontez ce que vous avez fait et ce que vous avez vu !
Vous pouvez vous aider des documents fournis dans toute la rubrique (60 à 80 mots).

Mini-croisière à la réserve de Scandola.

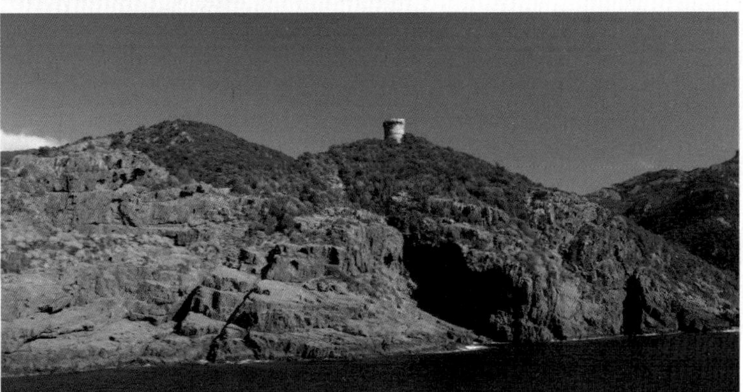

Visite de la Maison Bonaparte à Ajaccio.

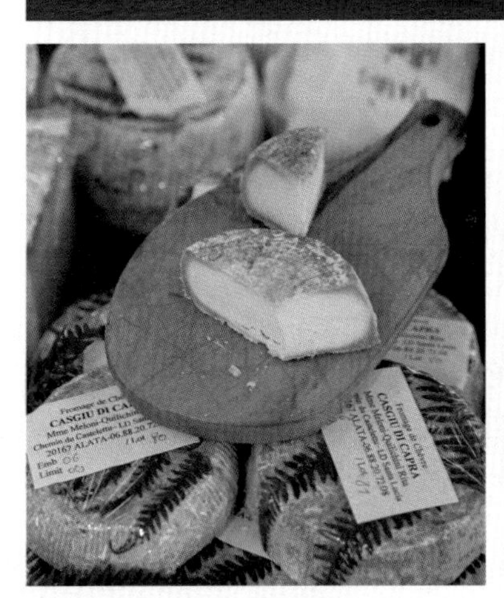

Dégustation de spécialités (brocciu = fromage, charcuterie...).

Corte: visite de la citadelle et du musée de la Corse.

Randonnée dans les gorges de la Restonica.

Production orale

Vos vacances idéales, c'est quoi ? Où allez-vous ? Avec qui ? Qu'est-ce que vous faites ?

JEU DE RÔLE (Les scènes sont à jouer à deux !)

SUJET 1 → Souvenirs

Vous êtes en Corse et vous voulez rapporter un souvenir aux membres de votre famille, mais vous ne savez pas quoi acheter. Dans le magasin de souvenirs, vous demandez conseil au vendeur / à la vendeuse et ensemble vous choisissez un cadeau pour tous !

SUJET 2 → Conseils

Votre ami(e) français(e) a décidé de partir en randonnée lui/elle aussi ! Il/elle vous appelle pour vous demander des conseils. Vous lui expliquez quoi acheter et comment faire ses bagages. Vous lui donnez quelques conseils pratiques.

GRAMM'EXPRESS

Les « gallicismes »

En français (et seulement en français ! C'est pour cela qu'on les appelle des « gallicismes ») on utilise des expressions particulières pour indiquer comment une action se réalise (si elle s'est à peine terminée, si elle n'est pas encore terminée ou si elle se réalisera bientôt).

Ces expressions sont toujours **suivies de l'infinitif**.

Venir de + inf. (le passé récent) : l'action est à peine terminée. *Léo **vient de** partir !*

En train de + inf. (le présent continu) : l'action n'est pas encore terminée. *Léo **est en train de** manger.*

Aller + inf. (le futur proche) : l'action se réalisera bientôt. *Léo **va partir** dans 5 minutes !*

1 **Complète les phrases avec le gallicisme qui convient.**

1 En ce moment, Ilenia et Carlo .... étudier. 2 Farida n'est pas là. Elle .... sortir. 3 Dans une heure, Friedrich .... jouer au foot. 4 Noémie et Julian .... passer leur DELF il y a deux jours. 5 John, qu'est-ce que tu fais ? Je .... laver ma moto ! 6 Les élèves .... partir en France dans un mois.

2 **Coche la bonne réponse.**

1 En ce moment...
- a ☐ Karl vient de préparer le dîner.
- b ☐ Karl est en train de préparer le dîner.
- c ☐ Karl va préparer le dîner.

2 Nous venons de rentrer du cinéma...
- a ☐ en ce moment.
- b ☐ dans une heure.
- c ☐ il y a 5 minutes.

3 Demain
- a ☐ vous allez partir.
- b ☐ vous venez de partir.
- c ☐ vous êtes en train de partir.

Situer dans le temps (1) et (2)

Exprimer l'heure, la date, le mois, la saison, l'année, le siècle

L'heure

Il est midi !

*J'ai rendez-vous **à** 16h00.*

*Le magasin ouvre **de** 9h00 **à** 19h00.*

*Ce musée est ouvert **à partir de** 10h00 **jusqu'à** 20h00.*

Le jour et la date

C'est dimanche !

Nous sommes (on est) jeudi.

Nous sommes (on est) le 4 juillet.

Le mois, la saison

*Nous sommes (on est) **en** hiver.*

*Nous sommes (on est) **en** décembre, **au mois de** décembre.*

L'année, le siècle

*Nous sommes **au** XXIème siècle.*

*Nous sommes **en** 1789 : c'est la Révolution !*

Exprimer une date

- dans le passé avec **il y a**

  *J'ai rencontré Martin **il y a** deux jours (= avant-hier)*

  *J'ai passé le DELF **il y a** une semaine (= la semaine dernière)*

- dans le futur avec **dans**

  *Je rencontrerai Martin **dans** deux jours (= après-demain)*

  *Je passe le DELF **dans** une semaine (= la semaine prochaine)*

3 **Complète les phrases avec *de ... à, en, le, à partir de ... jusqu'à, jusqu'à*.**

1 Nous sommes .... été.

2 Aujourd'hui c'est .... 15 août.

3 Le jeudi, j'ai cours .... 8h00 .... 12h00.

4 Le métro marche .... 1h30 du matin.

4 **Complète les phrases avec *il y a / dans*.**

1 Je passerai le DELF .... 15 jours.

2 J'ai commencé le tennis .... 4 ans.

3 .... 5 ans, j'étais encore à l'école primaire.

4 Il partira .... 2 heures.

5 **Complète les phrases avec *depuis* ou *pendant*.**

1 Je suis en France .... le mois de mars.
2 Je suis resté à Paris .... 6 mois.
3 Il habite en ville .... l'année dernière.
4 Le professeur a fait cours .... deux heures.

6 **Complète les phrases avec *à*, *au* ou *en*.**

1 Elle reste à Paris jusqu'...... 2020.
2 Tu es en vacances jusqu'...... 15 juillet.
3 Nous sommes en classe jusqu'...... midi.
4 Ils sont en France jusqu'...... février.

Comprendre les chiffres

Tu es sûr(e) de bien comprendre les chiffres ? Fais les exercices !

43 7 **Écoute et associe un numéro de téléphone à chaque prénom.**

Judith ....
Ramon ....
Johnny ....

8 **Quel est le numéro de leur carte d'abonnement au Club sportif ? Écris-le à côté de leur nom.**

Sandrine ....
Martin ....
Richard ....

9 **Écoute et écris le prix de chaque objet.**

Un blouson en jean : .... euros
Une trousse : .... euros
Une souris de PC : .... euros
DVD du film *Le grand bleu* : .... euros

10 **Écoute et complète le Tableau des Départs de l'Aéroport de Roissy avec le numéro du vol pour chaque destination.**

Berlin ....
Paris-Beauvais ....
Rio de Janeiro ....
Bali ....

Mes sons

Rappel : l'intonation

Écoute et répète avec le même ton de voix.

Rappel : question, affirmation ou négation ?

Écoute et coche la bonne case.

	1	2	3	4	5	6
Question						
Affirmation						
Négation						

Rappel : Les chiffres et les nombres

Attention aux prononciations !

Six et dix → le *x* final se prononce [s] quand 6 et 10 ne sont pas suivis d'un mot ou devant voyelle/*h* muet (liason) ; devant consonne *x* devient muet. Exceptions : dix-huit, dix-neuf.

Huit → *t* final se prononce quand 8 n'est pas suivi d'un mot ou devant voyelle/*h* muet (liason) ; il est muet devant consonne.

Neuf → *f* final se prononce [f] devant consonne mais [v] devant voyelle/*h* muet (liason).

Vingt et un → liaison entre *vingt* et *et* mais pas entre *et* et *un*.

Cent → on ne prononce pas le *t* final devant une consonne.

Vingt → on ne prononce pas le groupe *gt*.

Million/milliard → le groupe *ill* se prononce [lj].

Écoute et écris le numéro d'immatriculation de chaque véhicule.

1 .... **3** ....
2 .... **4** ....

Rappel : l'âge.

Écoute et fais une croix dans la bonne colonne.

	1	2	3	4
16				
18				
6				
59				

30 min

Je découvre la... compréhension des écrits

QUI ?	Tous les candidats **ensemble**. = **Épreuve collective.**
QUOI ?	**Lire** et **comprendre** des **documents** en français.
COMMENT ?	1 épreuve = **4 exercices**

1

Des documents de la vie quotidienne

Une correspondance, des instructions, des panneaux, une affiche, une publicité, un petit texte...

2

Un questionnaire

– Des **questions générales** :
Qui écrit ? À qui ?
Pour dire quoi ?

– Des **questions précises** :
repérer des chiffres,
une information simple,
compléter une indication...

La B.D. du DELF

Je comprends

Je **lis l'exercice** :
- **d'abord** les questions ;
- **ensuite** le document.

J'écris

Je **réponds au questionnaire** :
- **je coche** (✗) la bonne réponse ;
- j'écris **l'information demandée** ;
- je **justifie** mes réponses.

Je vérifie

Je **relis** les exercices.
Je peux **corriger** et **modifier** mes réponses.

1 Tu es dans un centre commercial en France. Écris la lettre du panneau dans la case correspondante.

Dans ce centre commercial...	panneau
il y a un espace réservé aux familles.	
on peut manger pour pas cher !	
certains magasins font des promotions.	
on peut faire du sport.	
on peut se connecter à Internet.	

2 Tu lis ton magazine préféré. Réponds aux questions.

titeuf le film

vient de sortir sur les écrans !

Tout le monde connaît déjà le personnage de Titeuf, le héros de la bande dessinée de Zep ! Zep a fait douze albums, une exposition à la Cité des Sciences de Paris, deux jeux de société, plusieurs jeux vidéo, un dessin animé à la télé et maintenant un film (avec beaucoup d'entrées au cinéma : 367 541 dès la première semaine!).

Qu'attendez-vous pour aller le voir ?

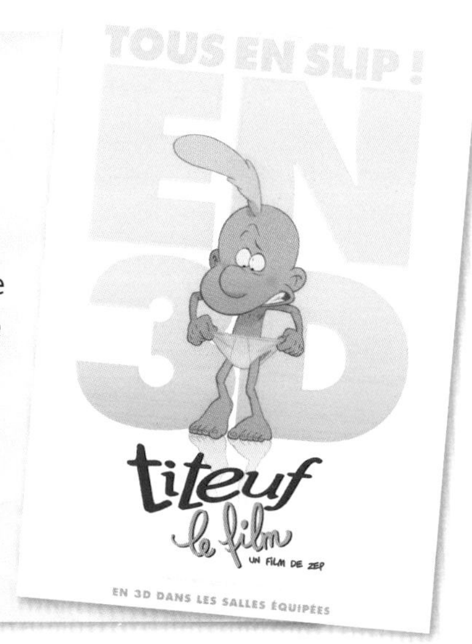

1 Dans cet article, on parle...

a ☐ d'une bande dessinée. b ☐ d'un film. c ☐ d'une exposition.

2 On parle d'un personnage nouveau pour le public.

☐ vrai ☐ faux

3 *Titeuf - le film* a beaucoup de succès.

☐ vrai ☐ faux

4 L'article conseille...

a ☐ de lire une bande dessinée.

b ☐ d'aller au cinéma.

c ☐ d'aller voir une exposition.

MES MOTS

Écrire

Les documents de l'écrit

p. 58

MÉMO

Ça, cela, c'

Comment **ça** marche ?

C'est exactement **cela** !

p. 54

J'identifie le message

1 Quand tu lis ces documents, tu es...

a

b

c

1 ☐ dans la rue. 2 ☐ au restaurant. 3 ☐ dans une agence de voyages.

2 À quelle question répondent ces documents ?

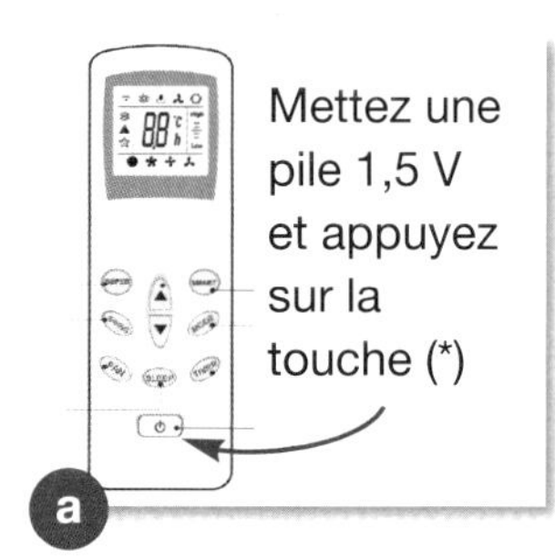

a

b

c

1 ☐ Comment ça va ? 2 ☐ Quoi de neuf ? 3 ☐ Comment ça marche ?

3 Pourquoi écrit-on ?

a

b

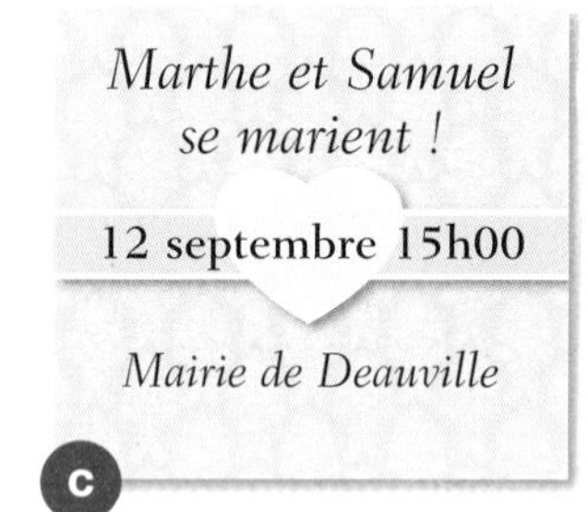

c

1 ☐ Annoncer. 2 ☐ S'excuser. 3 ☐ Féliciter.

DELF en poche !

Identifier un message écrit, c'est...

✓ reconnaître une **situation de communication** (Qui écrit ? À qui ? Pour dire quoi ?).
Les documents proposés à l'examen sont **courts** et **simples**. Ils sont écrits dans un **français standard** et correspondent à des **situations de la vie quotidienne**, **privée** (la correspondance, classique ou électronique) ou **publique** (dépliants, brochures, publicités, modes d'emploi, lettre formelle/message formel mais aussi articles de revues et blogs...)

Je repère les informations essentielles

1 Tu lis ce document.

SÉJOUR SCOLAIRE « VIVE LA FRANCE ! »
(Voyage découverte du 4 au 14 avril)

JOUR 3 (7 avril)
Croisière – Promenade nocturne sur la Seine
Durée de la croisière : 1 heure 10 environ.
Départ : Pont de l'Alma – 21h00 *(à tout le groupe : il faut arriver 30 minutes avant le départ. Merci)*
Itinéraire :
La promenade permet d'admirer les endroits les plus beaux de la capitale française en explorant des siècles d'histoire ! Après le départ on file à l'ouest vers le Palais de Chaillot. On descend la Seine jusqu'à la Statue de la Liberté puis on fait demi-tour pour revenir vers la Tour Eiffel (1er arrêt). Le voyage continue : on passe près du Musée d'Orsay, on traverse le fleuve pour s'arrêter une deuxième fois : le Louvre est devant nous... Ensuite direction Notre-Dame ! Avant on fait le tour des îles du fleuve (île de la Cité et Saint Louis) pour admirer d'abord la Conciergerie. On arrive enfin à la célèbre cathédrale (arrêt). Retour par l'Hôtel de Ville et la place de la Concorde.
(Attention ! La température sur le fleuve est fraîche. N'oublie pas d'emporter un vêtement chaud !)

Voici l'excursion de demain ! Si tu as des questions à poser, il vaut mieux t'adresser à Madame Gendron.
Luc

MES MOTS

Donner des instructions (1)

Il suffit de...
Il vaut mieux...
Il faut...
Prière de...
Interdit de...

Réponds aux questions.

1 Ce document est...
- a ☐ une brochure touristique.
- b ☐ la présentation d'un voyage en France.
- c ☐ le programme d'une excursion.

2 Tu es où ? ....

3 Avec qui ?
- a ☐ Tes parents.
- b ☐ Ta classe.
- c ☐ Un groupe de touristes.

4 Demain tu fais quoi ? ....

5 Quand ?
a ☐ Le matin. b ☐ L'après-midi. c ☐ Le soir.

6 Comment ?
a ☐ À pied. b ☐ En bus. c ☐ En bateau.

MÉMO

Donner des instructions (2)
p. 15

DELF en poche !

Repérer les informations essentielles dans un message écrit, c'est...

✓ comprendre une **situation de communication** et pouvoir **répondre à des questions simples** (Qui écrit ? À qui ? Quoi ? Pourquoi ? Où ? Quand ?)

Je repère une information précise

1 Relis attentivement le programme de la croisière et trace sur le dessin l'itinéraire de la promenade.

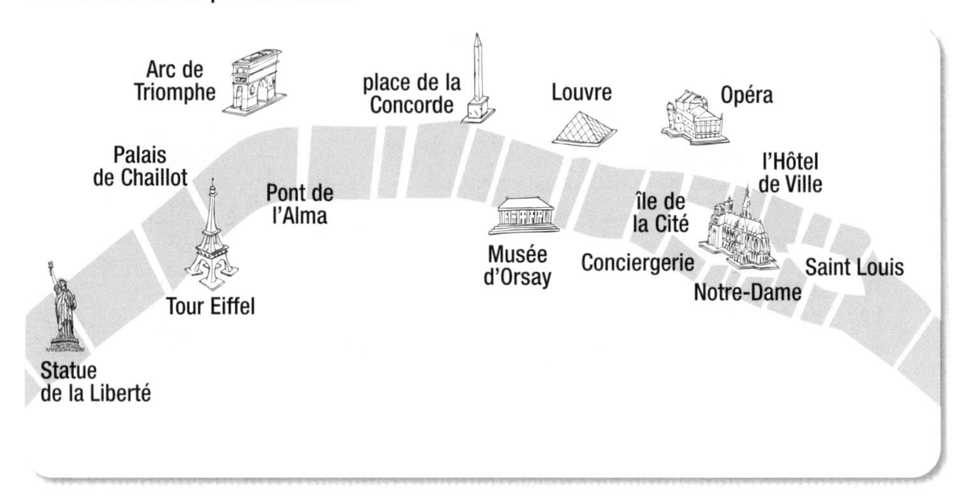

2 Tu lis cette présentation de la Carte Jeunes Européenne.

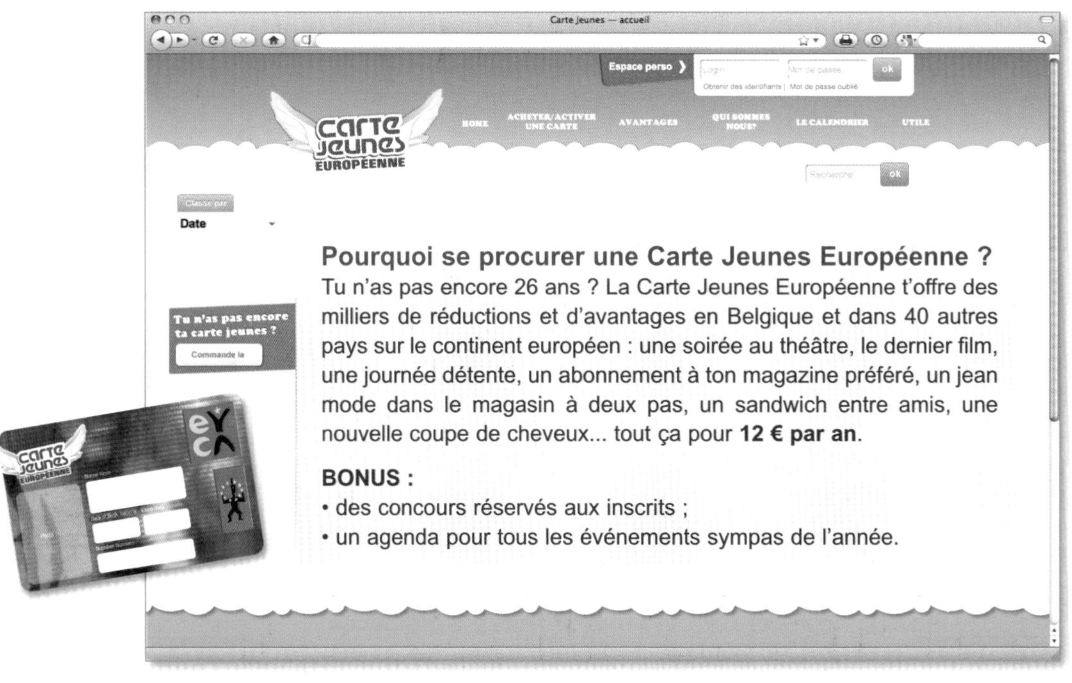

Pourquoi se procurer une Carte Jeunes Européenne ?
Tu n'as pas encore 26 ans ? La Carte Jeunes Européenne t'offre des milliers de réductions et d'avantages en Belgique et dans 40 autres pays sur le continent européen : une soirée au théâtre, le dernier film, une journée détente, un abonnement à ton magazine préféré, un jean mode dans le magasin à deux pas, un sandwich entre amis, une nouvelle coupe de cheveux... tout ça pour **12 € par an**.

BONUS :
- des concours réservés aux inscrits ;
- un agenda pour tous les événements sympas de l'année.

a Réponds aux questions par OUI ou par NON. Souligne les réponses que tu trouves dans le texte.

		OUI	NON
1	J'ai 25 ans. Est-ce que je peux avoir la carte ?	☐	☐
2	Est-ce que la carte est valable seulement en Belgique ?	☐	☐
3	Est-ce que je paie moins cher avec la carte ?	☐	☐
4	Est-ce que je peux aller voir un spectacle avec la carte ?	☐	☐
5	Est-ce que je peux gagner quelque chose si je m'inscris ?	☐	☐

b La carte est...

a ☐ hebdomadaire. b ☐ mensuelle. c ☐ annuelle.

3 Tu lis la présentation d'un film dans une revue française. Réponds aux questions.

Sortie cinéma : *Nicostratos, le pélican*

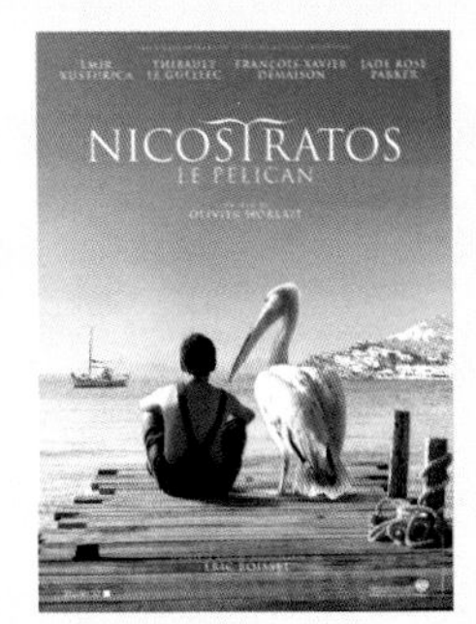

Tout public

Une histoire splendide dans les paysages extraordinaires des îles grecques... pour les jeunes et les moins jeunes.

Ce film raconte l'amitié entre Yannis, un ado de 14 ans, et un oiseau typique de la Méditerranée : un pélican blanc. Yannis trouve un bébé pélican et il l'appelle Nicostratos. Ils deviennent amis. Mais comment fait-on pour vivre avec un pélican pour ami ?

1 L'histoire peut intéresser...
a ☐ les jeunes. b ☐ les adultes. c ☐ tout le monde.
2 Qui est (sont) le(s) héros de l'histoire ? ....
3 Où se passe l'histoire ? ....
4 Choisis un mot-clef pour le film.
a ☐ Méditerranée. b ☐ Amitié. c ☐ Oiseau.

MÉMO

Attention !
Tout le monde = tous (toutes les personnes)

4 Lis le document et réponds aux questions.

1 Maud est la sœur de...
a ☐ Valentine.
b ☐ Audrey.
c ☐ Xavier.
2 Ce midi, Maud mange...
a ☐ à la maison.
b ☐ à l'école.
c ☐ au restaurant.
3 Quand elle sort du collège, Maud...
a ☐ va au stade.
b ☐ reste avec ses copines.
c ☐ rentre directement chez elle.

Maman,
Il est 07h45, je vais au collège. Excuse-moi, aujourd'hui je ne rentre pas déjeuner à la maison. Je veux rester manger à la cantine avec ma copine Audrey et sa sœur Valentine.
C'est d'accord, j'irai chercher mon frère après son entraînement : après les cours, je passe donc prendre Xavier au stade et Papa nous ramènera à la maison directement en voiture vers 18h00.
Bisous et bonne journée !
PS : c'est ce soir qu'on va au restaurant ?
Maud

DELF en poche !

Comprendre un document écrit, c'est...

✓ repérer les **informations utiles** pour pouvoir répondre à des **questions précises** : on peut me demander un nom, un lieu, une date, un numéro de téléphone (attention aux chiffres !) mais aussi l'intention de la personne qui écrit (pour donner des nouvelles, proposer quelque chose...)

Les questions suivent toujours **l'ordre du document**, donc pour trouver plus facilement les réponses il faut bien lire le questionnaire **AVANT** de lire le document.

Mes mots
Voyager
p. 16

5 Lis le document et réponds aux questions.

Bonjour Monsieur Alain GUYOT Référence de dossier : **RCIXDM**

Vous avez effectué une commande sur notre site le 08/04 à 10h12 et nous vous en remercions. Voici le détail de votre voyage.

PARIS ↔ POITIERS	2 passagers		134.00 €
Aller : 13h50 PARIS MONTPARNASSE 1 ET 2 / 15h47 POITIERS CENTRE	8333	1e Classe	**Vendredi 19 avril**
1er **passager** (26 à 59 ans) NOM: Alain GUYOT	**TGV Prem's:** Billet non échangeable, non remboursable.		Voiture 1 – Place 042 Place isolée
2ème **passager** (plus de 59 ans) NOM: Solange GUYOT	**TGV Prem's:** Billet non échangeable, non remboursable.		Voiture 1 – Place 041 Place isolée
Retour : 08h56 POITIERS CENTRE / 15h47 PARIS MONTPARNASSE 1 ET 2	8314	1e Classe	**Dimanche 21 avril**
1er **passager** (26 à 59 ans) NOM: Alain GUYOT	**TGV Prem's:** Billet non échangeable, non remboursable.		Voiture 3 – Place 031 Place fenêtre
2ème **passager** (plus de 59 ans) NOM: Solange GUYOT	**TGV Prem's:** Billet non échangeable, non remboursable.		Voiture 3 – Place 032 Place couloir

Vous avez choisi : le service e-billet
Vous devez **imprimer votre confirmation e-billet** à présenter lors du contrôle à bord du train.
Une pièce d'identité pourra vous être demandée lors du contrôle.

1 Alain a acheté son billet...
a ☐ dans une agence. b ☐ sur Internet. c ☐ par téléphone.

2 Quand il part de chez lui, il prend le train dans quelle gare ? ....

3 Quand il rentre chez lui, il arrive à quelle heure à destination ? .... h ....

4 Alain voyage seul. V F
Trouve le mot dans le texte qui te permet de répondre !
....

5 Si Alain a un problème, il peut changer son billet. V F
Trouve le mot dans le texte qui te permet de répondre !
....

6 Pour voyager tranquille, Alain ne doit pas oublier d'emporter ....

DELF en poche !

Compléter le questionnaire, c'est...

✓ savoir choisir entre **3 réponses** possibles, qui peuvent être des **mots** ou qui sont représentées par des **images** ;

✓ **écrire l'information demandée** : un **mot** / un **groupe de mots** ou des **chiffres** (rappel : **l'orthographe ne compte pas** dans la note !) ;

✓ **recopier** un mot ou une phrase du texte **pour justifier** une réponse.

Alain voyage seul. FAUX ; justification : 2ème passager (Solange Guyot)

Je lis pour m'orienter

1 Tu es dans une maison de la presse en France.

1 Dans quelle rubrique classes-tu ces magazines ?

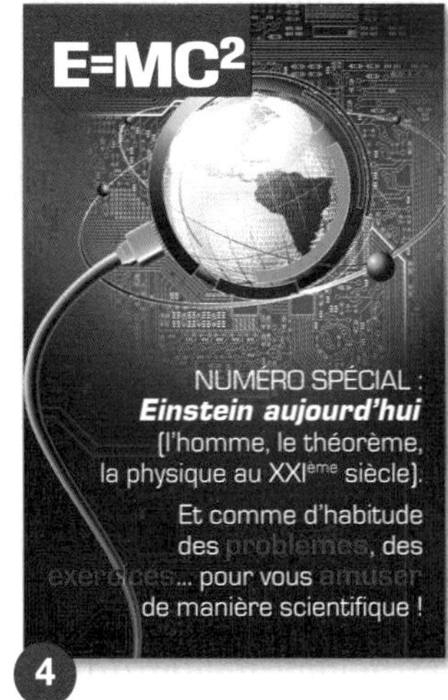

a ☐ Sciences et techniques.
b ☐ Tourisme et voyage.
c ☐ Animal et société.
d ☐ Éducation.

2 Choisis une revue pour chaque personne en fonction de ses goûts.

Situation	Revue
La valise de Marie est toujours prête.	
Le rêve d'Arnaud ? Étudier à l'étranger !	
Michèle est la meilleure de la classe en maths, en biologie, en physique...	
Alexis a 3 chats, 1 canari et 2 tortues.	

DELF en poche !

Lire pour s'orienter, c'est...

✓ **savoir repérer** les informations essentielles dans **plusieurs** (4/5) **petits textes** qui se ressemblent (des petites annonces, des menus, des publicités...).

✓ **associer chaque texte à une « situation »** : chaque document correspond aux goûts et aux préférences d'une personne. À toi de choisir laquelle !

Le rêve d'Arnaud ? Étudier à l'étranger ! → revue **3**

(Campus International parle d'éducation, des étudiants qui veulent *partir*, des *programmes européens*, des *universités du monde...*)

Mes mots

Goûts et préférences

adorer
détester
être fan de...
être passionné(e) de...
préférer

2 Tu es en France et tu veux faire un cadeau aux amis que tu as rencontrés à l'école de langue. Tu vas dans une librairie au rayon Bandes Dessinées.

Astérix
Courageux et dynamique, Astérix est toujours accompagné de son ami Obélix et du chien Idéfix. Ensemble ils luttent contre Jules César et les armées romaines. Mais c'est facile ! Ils ont la potion magique !

Gaston Lagaffe
Travailler dans un bureau, c'est souvent difficile ! Surtout pour Gaston qui est paresseux (il dort tout le temps), oublie tout (il est distrait) et crée beaucoup de problèmes à ses collègues ! Mais il est aussi très gentil ! Tout le monde l'aime...

Lucky Luke est un cow-boy solitaire qui « tire plus vite que son ombre ». Avec son cheval Jolly Jumper (et souvent le chien Rantanplan, incroyablement bête) il pourchasse les fameux bandits de l'ouest, les frères Dalton !

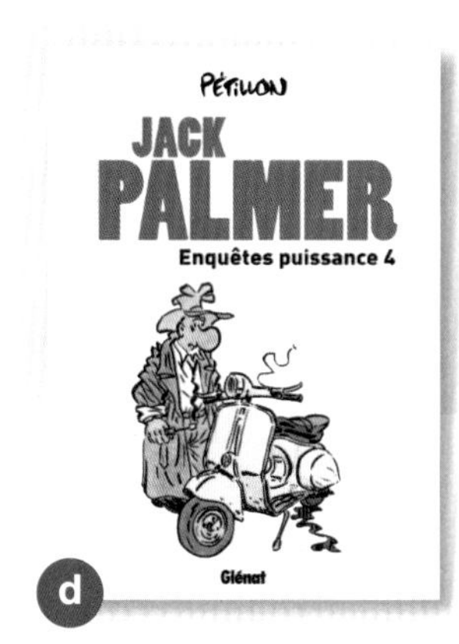

Jack Palmer
Jack Palmer est un détective privé. Mais c'est un détective privé spécial : il ne ressemble ni à Hercule Poirot ni à Sherlock Holmes, car il ne comprend pas grand-chose à ses enquêtes et provoque des catastrophes ! Des histoires pour rire...

Les cités obscures
Le monde des cités obscures est une anti-Terre invisible depuis notre planète. Mais les voyages sont possibles entre les deux mondes. Et il n'est pas rare que les Terriens et les habitants des Cités se rencontrent...

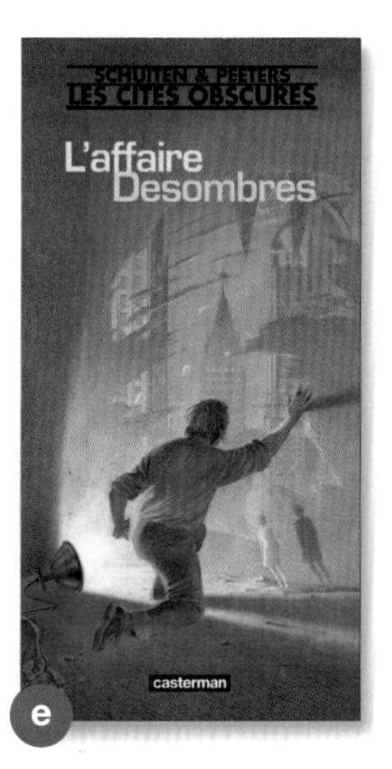

Choisis une bande dessinée pour chaque personne.

Situation	Revue
Boris est un passionné de science-fiction.	
Chen arrive toujours en retard !	
Sandra fait du latin.	
Jim est un fan de westerns.	
Kebir aime les histoires policières.	

Je comprends la correspondance

MÉMO

Attention aux futurs irréguliers !

*On se **verra** une autre fois...*

p. 55

1 Tu es membre de la Société Protectrice des Animaux (S.P.A.). Tu reçois ce mail de la responsable. Réponds aux questions.

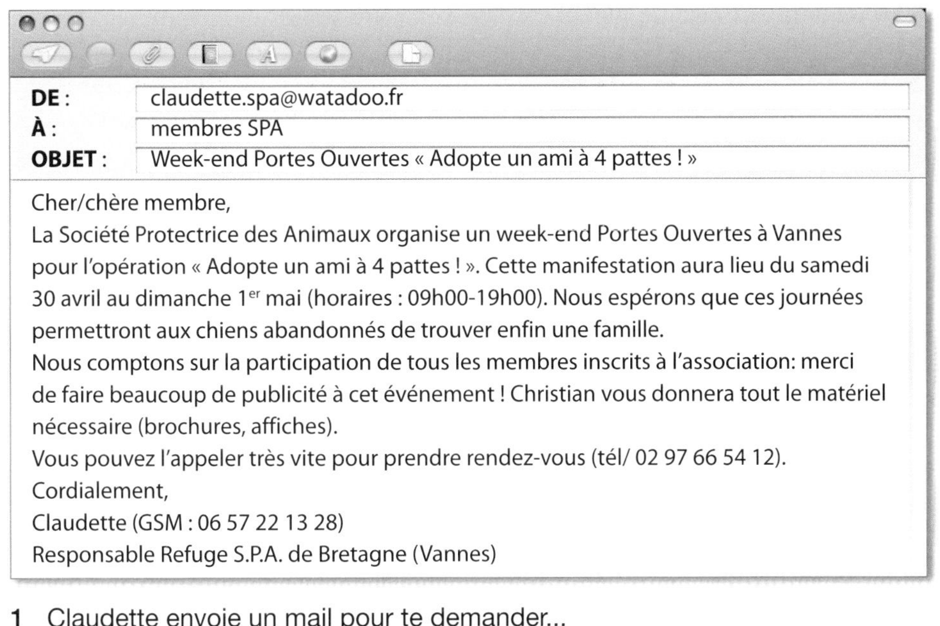

DE : claudette.spa@watadoo.fr
À : membres SPA
OBJET : Week-end Portes Ouvertes « Adopte un ami à 4 pattes ! »

Cher/chère membre,
La Société Protectrice des Animaux organise un week-end Portes Ouvertes à Vannes pour l'opération « Adopte un ami à 4 pattes ! ». Cette manifestation aura lieu du samedi 30 avril au dimanche 1er mai (horaires : 09h00-19h00). Nous espérons que ces journées permettront aux chiens abandonnés de trouver enfin une famille.
Nous comptons sur la participation de tous les membres inscrits à l'association: merci de faire beaucoup de publicité à cet événement ! Christian vous donnera tout le matériel nécessaire (brochures, affiches).
Vous pouvez l'appeler très vite pour prendre rendez-vous (tél/ 02 97 66 54 12).
Cordialement,
Claudette (GSM : 06 57 22 13 28)
Responsable Refuge S.P.A. de Bretagne (Vannes)

1 Claudette envoie un mail pour te demander...
   a ☐ de t'inscrire à la S.P.A.
   b ☐ de participer à une opération de la S.P.A.
   c ☐ d'adopter un animal.

2 La manifestation dure...
   a ☐ un jour. b ☐ deux jours. c ☐ trois jours.

3 Que doivent faire les membres de l'association ? ....

4 Quel numéro de téléphone doivent-ils appeler ? ....

2 Tu reçois ce courriel. Réponds aux questions.

DE : coline@gigamail.fr
DATE : vendredi 18 juillet
OBJET : Week-end !

Salut !
Ça va ? Je suis bien arrivée à Arcachon ! C'est une ville super sympa ! Je vais tous les jours à la plage et tu sais quoi ? Mes parents vont m'offrir un cours de surf la semaine prochaine ! Je suis un peu triste parce que les copains me manquent. Tu pars en Espagne seulement en août, n'est-ce pas ? Alors pourquoi tu ne viens pas me voir le dernier week-end de juillet ? Mes parents sont d'accord ! Après c'est la fin des vacances pour moi ! Je dois aller en montagne avec mes cousins qui sont très insupportables !
Coline

1 Coline est en vacances...
   a ☐ en montagne. b ☐ à la mer. c ☐ à l'étranger.

2 La semaine prochaine Coline fera une activité...
   a ☐ culturelle. b ☐ artistique. c ☐ sportive.

3 Pourquoi Coline est-elle un peu triste ?
   a ☐ C'est la fin des vacances.
   b ☐ Elle passe ses vacances avec des cousins insupportables.
   c ☐ Elle n'est pas avec ses copains.
4 Que te propose Coline ? ....

3 **Tu reçois ce message de Fabien, qui est le responsable français des Jeunes Ambassadeurs de l'UNICEF dans ton pays. Réponds aux questions.**

DE : fabien@mimel.fr
DATE : 12 avril
OBJET : informations sur les J.A. de l'UNICEF

Cher/chère ami(e),
J'ai reçu ton mail. Voici les réponses à tes questions !
Tu peux devenir J.A. de l'UNICEF si tu as entre 15 et 18 ans et si tu es inscrit dans une école de ton pays.
Être ambassadeur, c'est vouloir aider les enfants dans le monde entier ! Tu peux agir dans ton école toute l'année : il faut faire connaître les droits des enfants et donner envie à tes camarades de participer aux actions de l'UNICEF !
Fais une visite à nos journées d'information fin mai ! Moi je serai à Paris mais on se verra une autre fois. Si ta demande est acceptée (tu peux me l'envoyer), tu seras nommé jeune ambassadeur !
Amicalement,
Fabien

1 Fabien écrit pour...
   a ☐ te répondre.
   b ☐ te demander une information.
   c ☐ te nommer jeune ambassadeur de l'UNICEF.
2 Tu peux être jeune ambassadeur à...
   a ☐ 19 ans.   b ☐ 16 ans.   c ☐ 14 ans.
3 Être jeune ambassadeur, cela signifie...
   a ☐ voyager dans le monde entier.
   b ☐ participer aux journées d'information.
   c ☐ faire des actions pour aider les enfants.
4 Fabien te rencontrera...
   a ☐ aux journées d'information.   b ☐ à Paris.   c ☐ une autre fois.
5 Que dois-tu envoyer à Fabien ? ....

DELF en poche !

Compléter le questionnaire, c'est...

✓ bien lire les documents pour **éviter les pièges** ! Quelquefois le questionnaire donne le choix entre 3 mots qui apparaissent tous dans le texte. Attention à ne pas se laisser « distraire » !

Je comprends des instructions

1 Tu pars en vacances dans les Pyrénées et tu consultes le site du Parc National. Réponds aux questions.

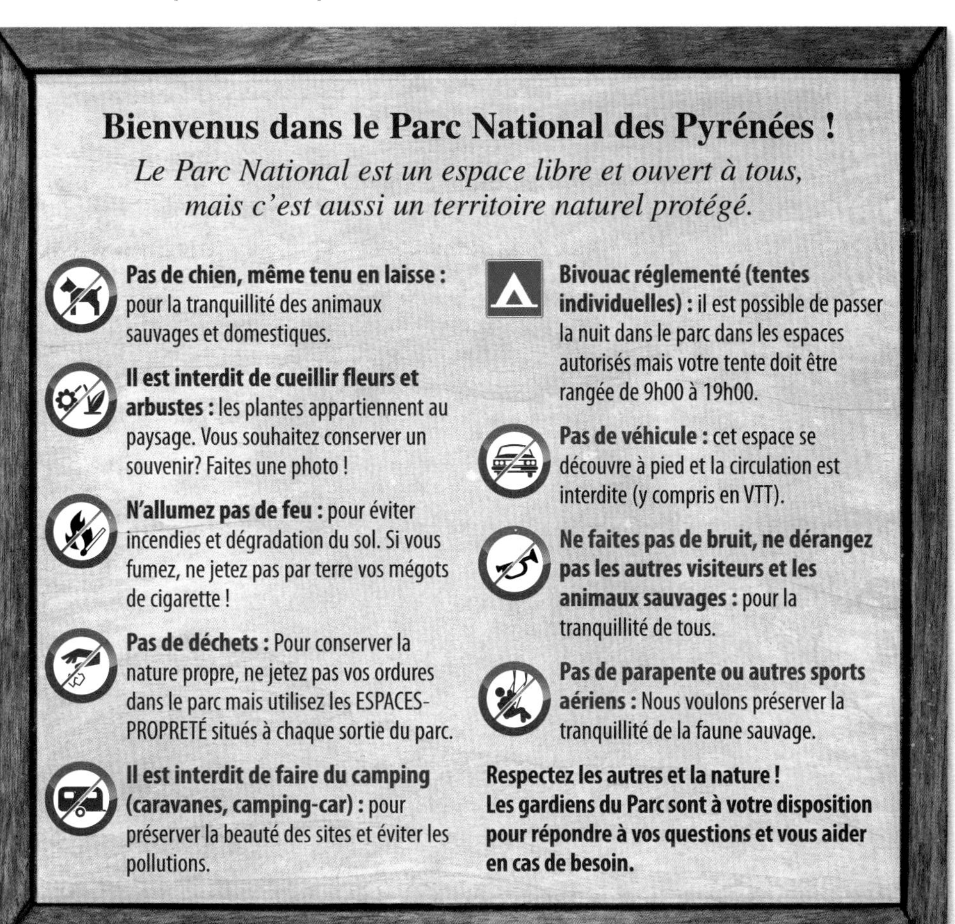

1 Les visiteurs ont le droit de...
   - a ☐ se promener avec un animal domestique.
   - b ☐ dormir dans le parc.
   - c ☐ garer leur voiture dans les espaces autorisés.

2 Que peux-tu apporter si tu visites le parc ?

3 À quelle heure peux-tu installer ta tente le soir ? .... h ....

4 Où peux-tu jeter tes poubelles ? ....

5 Si tu as un problème, tu ....

2 Tu lis une revue française. Réponds aux questions.

VOUS AIMEZ LA MER ET LE SPORT ?

Découvrez les formules SPORT-ÉTÉ aux SABLES D'OLONNE en Vendée !

SPORT-ÉTÉ 1
Initiation à la **plongée sous-marine** (débutants) pour les 13-17 ans !
Dernière semaine de juillet (7 jours / 2 sorties par jour)

TARIFS
150 € (sans hébergement)
450 € (pension complète)
Tout le matériel est fourni.
Informations au Club Subacqua,
02 51 38 95 16 (de 10h00 à 18h00).

SPORT-ÉTÉ 2
Stage : Une vie de marin !
En août, la ville organise pour les jeunes vacanciers (à partir de 13 ans) des sorties en mer avec des pêcheurs professionnels. Pendant 3 jours, découvrez un métier passionnant et vivez l'aventure de l'océan !

Prix : 80 € / 3 jours en mer
(sont compris dans le prix : les repas à bord du bateau, la visite du musée de la mer et le spectacle : *Une vie de marin* !)
Inscriptions à la Mairie,
86 Quai de la République (09h00-17h00)

SPORT-ÉTÉ 3
Cours de surf / planche à voile
Le Club *Surfing St Jean* accueille tous les jeunes, débutants ou confirmés. Participants étrangers bienvenus (nos professeurs parlent plusieurs langues !) Les cours ont lieu tous les matins de 09h00 à midi, sauf le dimanche. Venez surfer sur la vague !

TARIF : seulement 220 € les 15 jours !
(matériel fourni)
Le transport vers les plages (minibus) est compris dans le prix.
Infos et inscriptions : clubsurfing@sun.fr

(**Attention !** Pour toutes les activités SPORT-ÉTÉ une autorisation des parents et un certificat médical sont demandés à tous les participants).

IDÉE VACANCES JUNIORS !

1 Aux Sables d'Olonne les jeunes peuvent aussi faire des activités...
   a ☐ culturelles. b ☐ linguistiques. c ☐ musicales.

2 Ton frère a 11 ans et il veut devenir marin ! Ton père peut l'inscrire à la formule SPORT-ÉTÉ 2. V F
   Justifiez : ....

3 Tu veux t'inscrire pour une semaine en pension complète. Tu paies .... €

4 Qu'est-ce qui est compris quand on fait du surf ?

   a b c

5 Pour s'inscrire à une formule SPORT-ÉTÉ, il faut...
   a ☐ être accompagné par un adulte.
   b ☐ fournir une attestation médicale.
   c ☐ savoir bien nager.

Je lis pour m'informer

1 Vous lisez cet article sur un site Internet. Répondez aux questions.

1jour1actu – Les clés de l'actualité junior | Le premier site d'infos des 7 / 13 ans

1 jour 1 actu ! Le site d'info des 7 / 13 ans

MILAN

MONDE · CULTURE · FRANCE · INSOLITE · SCIENCE · SPORT · PLANÈTE · LES CLÉS DE L'ACTU

Les petits champions de l'informatique !

Ce week-end, les jeunes « hackers » du monde entier étaient invités à une grande fête informatique. Avis aux fans d'ordinateurs !

Les hackers passent des heures devant leur ordinateur à résoudre les problèmes informatiques les plus compliqués. Mais de temps en temps, ils sortent de leur chambre ! Et une fois par an ils rencontrent... d'autres hackers. Comme tous les ans, la ville américaine de Las Vegas a organisé la grande rencontre internationale des hackers. Bonne nouvelle : cette année pour la première fois l'événement était ouvert aux 8-16 ans qui ont eu une « fête junior ».

Un hacker junior, qu'est-ce que c'est ?
C'est quelqu'un qui est passionné d'informatique, qui aime trouver des passages secrets dans les jeux vidéo ou chercher des choses introuvables sur Internet. Bref, quelqu'un qui sait se débrouiller tout seul dans des situations compliquées, impossibles pour toi ou moi. Ces jeunes sont très intelligents et patients. Certains sont même « surdoués » (ils ont des qualités exceptionnelles).

Qu'ont-ils fait pendant deux jours à Las Vegas ?
Des spécialistes leur ont expliqué ce qu'ils peuvent et ne peuvent pas faire. On peut s'amuser sur son ordinateur, mais entrer dans le système de sécurité d'une entreprise (par exemple) c'est interdit ! Ensuite ils ont pu apprendre à trouver des informations cachées sur Internet, à maîtriser les techniques de programmation et différents langages informatiques. Des choses qui sont peut-être très ennuyeuses pour toi mais pour eux, c'est le rêve !

1 Dans quel pays la rencontre internationale des hackers est-elle organisée ?
....

2 Tous les ans il y a une « fête junior » des hackers. V F
Justifiez : ....

3 Les hackers juniors sont moins intelligents que les autres adolescents de leur âge. V F
Justifiez : ....

4 Quand on est bon en informatique, on a le droit de tout faire ! V F
Justifiez : ....

5 Durant la rencontre junior des hackers, les jeunes ont pu...
a ☐ jouer à des jeux vidéo nouveaux.
b ☐ apprendre à mieux se servir de leur ordinateur.
c ☐ faire des recherches sur Internet.

2 **Tu regardes un site Internet français. Réponds aux questions.**

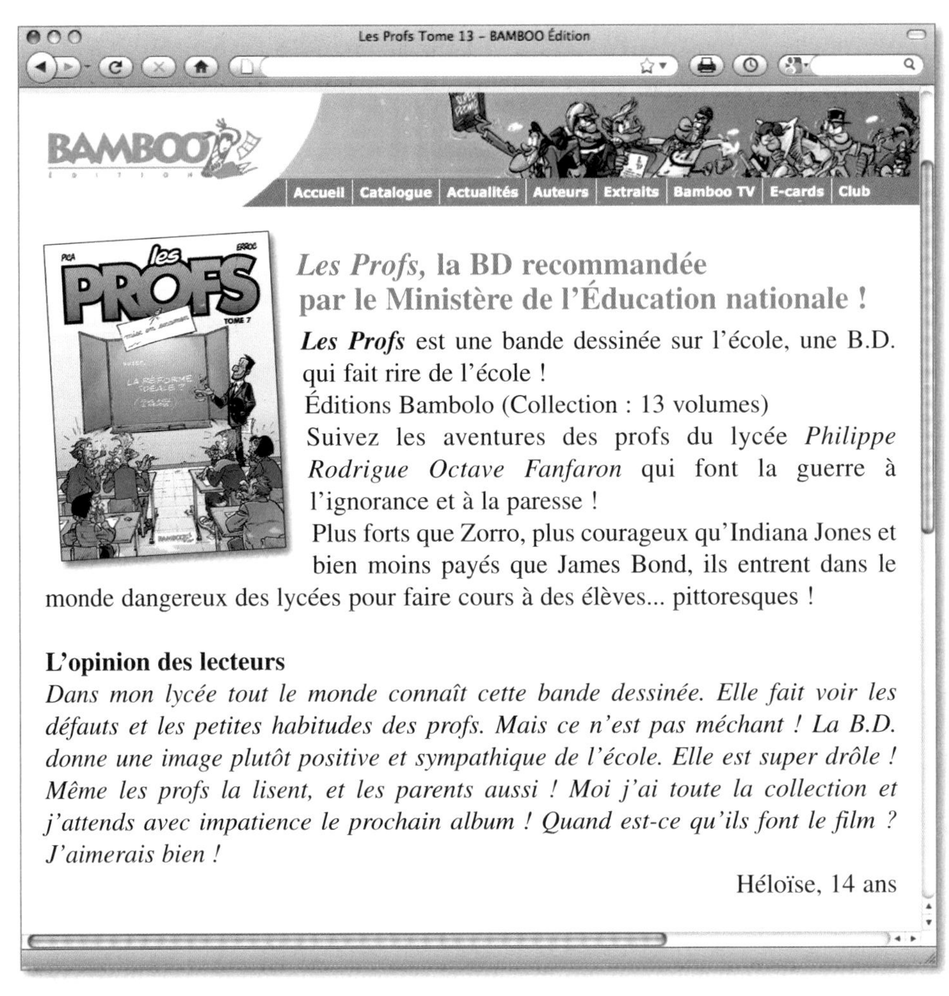

Les Profs Tome 13 - BAMBOO Édition

BAMBOO ÉDITION

Accueil | Catalogue | Actualités | Auteurs | Extraits | Bamboo TV | E-cards | Club

Les Profs, la BD recommandée par le Ministère de l'Éducation nationale !

Les Profs est une bande dessinée sur l'école, une B.D. qui fait rire de l'école !
Éditions Bambolo (Collection : 13 volumes)
Suivez les aventures des profs du lycée *Philippe Rodrigue Octave Fanfaron* qui font la guerre à l'ignorance et à la paresse !
Plus forts que Zorro, plus courageux qu'Indiana Jones et bien moins payés que James Bond, ils entrent dans le monde dangereux des lycées pour faire cours à des élèves... pittoresques !

L'opinion des lecteurs

Dans mon lycée tout le monde connaît cette bande dessinée. Elle fait voir les défauts et les petites habitudes des profs. Mais ce n'est pas méchant ! La B.D. donne une image plutôt positive et sympathique de l'école. Elle est super drôle ! Même les profs la lisent, et les parents aussi ! Moi j'ai toute la collection et j'attends avec impatience le prochain album ! Quand est-ce qu'ils font le film ? J'aimerais bien !

Héloïse, 14 ans

1 Dans cette bande dessinée, qui possède les qualités des héros les plus célèbres ?

....

2 Où se passe l'histoire ? ....

3 Cette bande dessinée fait une description très sévère de l'école française. ☐V ☐F

Justifiez : ....

4 Héloïse déteste cette B.D. ☐V ☐F

Justifiez : ....

5 Selon Héloïse, cette bande dessinée est pour...

a ☐ les élèves.
b ☐ les profs.
c ☐ tout le monde.

6 C'est le rêve d'Héloïse !

a ☐ Les profs lisent la bande dessinée.
b ☐ Ses parents lui offrent toute la collection de la bande dessinée.
c ☐ La bande dessinée devient un film.

Tu es prêt pour l'examen ?

C'est difficile ? Coche (✗) la case de ton choix :

🙂 tu as peu de difficultés

😐 tu as quelques difficultés

🙁 tu as beaucoup de difficultés

		🙂	😐	🙁
Je peux				
	reconnaître des documents écrits simples de la vie quotidienne (correspondance, panneaux, brochures publicitaires...).			
	identifier une situation de la vie quotidienne et le document qui correspond à cette situation.			
	lire et comprendre des instructions et des consignes, des messages et des textes courts et simples de la vie quotidienne.			
Je sais				
	repérer les informations essentielles contenues dans un document.			
	repérer une information précise contenue dans un ou plusieurs documents (date, lieu, nom, intention, sentiment...).			
	répondre à un questionnaire en choisissant parmi 3 réponses possibles (mots ou images) ou en recopiant un mot (ou des chiffres : date, horaire...) du texte.			
	justifier mes réponses par des mots ou des phrases du texte.			
Je connais				
	les formules utilisées dans la correspondance quotidienne, pour donner des instructions et des consignes.			
	les indicateurs pour pouvoir m'orienter dans l'espace et dans le temps.			
	le lexique suffisant pour comprendre des situations de la vie quotidienne (voyager, acheter et vendre, donner/demander des nouvelles...).			
	Total			

Mes résultats : + de 🙂 → **Bravo !**

+ de 😐 → **Pas mal !**

+ de 🙁 → **Attention !**

Tu lis...

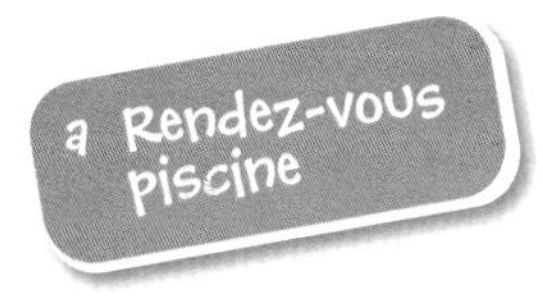

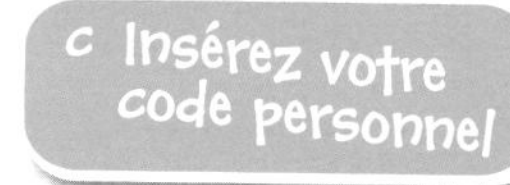

1 ☐ des instructions.

2 ☐ une brochure publicitaire.

3 ☐ un message amical.

4 ☐ une lettre formelle.

Je m'entraîne à la... compréhension des écrits

L'épreuve est constituée de 4 exercices basés sur 4 documents écrits. Pour chaque document, vous devez répondre à des questions. Vous disposez de temps pour répondre au questionnaire et relire vos réponses.

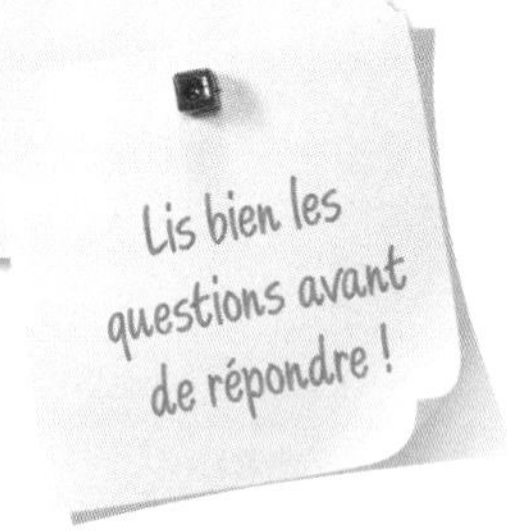

Pour répondre aux questions, cochez (X) la bonne réponse ou écrivez l'information demandée.

Exercice  1 (5 points)

Vous regardez les programmes du cinéma avec votre petit frère et des amis. Vous proposez un film pour chaque personne !

1

La fille du puisatier
Un film tiré du roman de Marcel Pagnol. Une belle histoire de la France d'autrefois (l'action se passe en 1939). Un classique.

2

La marche de l'empereur
L'histoire des pingouins empereurs est unique au monde. Elle mêle amour, courage et aventure au cœur de l'Antarctique, région la plus isolée de la planète.

3
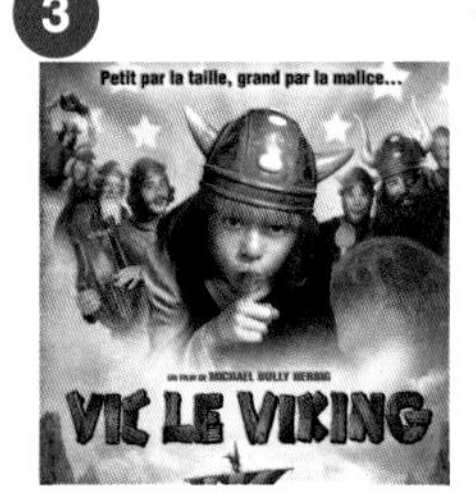

Vic le Viking
Pas facile d'être le fils du chef des Vikings ! Surtout quand on est petit et que votre village est attaqué... Un héros pour toute la famille ! (idéal pour les 7-10 ans)

4
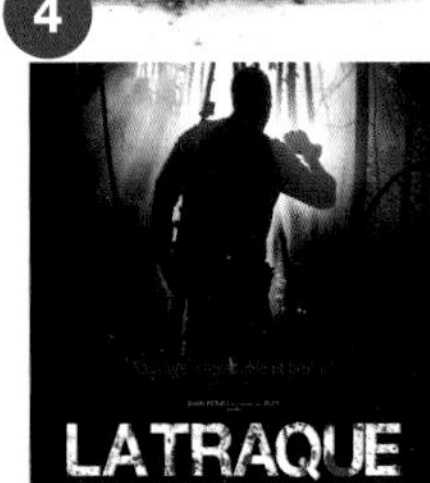

La traque
Une forêt, un cruel prédateur. Qui réussira à survivre ? Pour tous ceux qui aiment avoir peur au cinéma... Interdit aux moins de 16 ans.

5

Bienvenue chez les Ch'tis
Philippe est employé de la poste dans le sud de la France. Mais un jour on l'envoie travailler dans le nord... Une comédie très drôle sur les préjugés !

Situation	Film
Quand elle va au cinéma, Nelly veut rire !	
Marion a 14 ans et aime les films historiques.	
Luc vient d'avoir 16 ans et adore les films d'horreur !	
Christophe aime les animaux.	
Arthur a 8 ans et veut un film plein d'aventures !	

Total pour l'exercice 1 .../5

Exercice 2 (6 points)

Vous recevez ce message. Répondez aux questions.

De : karim@cmel.fr **À :** copainsclasse@gmel.fr **Date :** jeudi 12 juin **Objet :** proposition !

Les cours finissent dans 15 jours ! Je vous propose un super pique-nique au bord du lac samedi (le week-end d'après c'est impossible parce que c'est la Fête de la Musique).
Rendez-vous à midi ! Prenez vos maillots de bain parce que s'il fait beau, on pourra se baigner !
Confirmez svp avant vendredi soir. Demain je ne pourrai pas vous voir au collège (je passe l'examen au British Institute pour partir en Angleterre en juillet !). Ne m'appelez pas sur mon portable. Par mail c'est mieux.

1 Ce message parle d'une fête. C'est... **1 point**

a ☐ l'anniversaire de Karim. b ☐ la fin de l'année scolaire. c ☐ la Fête de la Musique.

2 Qu'est-ce que Karim propose ? .... **2 points**

3 Le rendez-vous est pour quelle date ? a ☐ 12 juin. b ☐ 14 juin. c ☐ 21 juin. **1 point**

4 Demain Karim ne va pas au collège car... **1 point**

a ☐ il passe un examen. b ☐ il part en Angleterre. c ☐ c'est la Fête de la Musique.

5 Que devez-vous faire pour confirmer ? **1 point**

a ☐ parler avec Karim. b ☐ téléphoner à Karim. c ☐ envoyer un message électronique à Karim.

Total pour l'exercice 2 .../6

Exercice 3 (8 points)

Vous lisez cet article. Répondez aux questions.

Une petite quiche aux vers, ça vous tente ?

Ce n'est pas une plaisanterie ! Dans le futur cette quiche aux vers sera peut-être au menu. Des étudiants ont accepté de la goûter pour une équipe de scientifiques : d'après eux, les vers ont un bon goût de noisette. Miam, miam ! Les chercheurs disent en effet qu'il faut changer notre façon de manger. Car pour arriver à nourrir les 9 milliards de personnes qui vivront sur la planète en 2050, rien de mieux que les insectes. Pourquoi? Riches en protéines et pauvres en graisses, les insectes ne donnent pas de maladies aux humains qui les mangent.
En Chine, au Mexique et dans certains pays d'Afrique les insectes font partie de l'alimentation. Et parmi les 1 400 espèces d'insectes comestibles, certaines sont considérées comme des délices ! Bon appétit !

(D'après 1jour 1actu)

1 Dans ce texte, on parle... **1, 5 point**

a ☐ d'une nouvelle recette.

b ☐ de l'alimentation du futur.

c ☐ de cuisine internationale.

2 Les étudiants ont beaucoup aimé la quiche aux insectes. **2 points**

☐ vrai ☐ faux Justifie : ....

3 En 2050 il y aura sur la Terre .... habitants. **1 point**

4 Les insectes sont dangereux pour la santé de l'homme. **2 points**

☐ vrai ☐ faux Justifie : ....

5 D'après cet article, où mange-t-on déjà des insectes ? .... **1,5 point**

Total pour l'exercice 3 .../8

Exercice  4 (6 points)

Vous lisez cette brochure. Répondez aux questions.

L'Australie (Océanie)
Séjour multiactivités pour Ados - 14/17 ans

20 jours/19 nuits au prix exceptionnel de 2199 euros !

Explorez ce pays-continent avec un sac à dos! Vous partagerez une véritable aventure humaine avec des jeunes de votre âge. Le séjour est une bonne occasion de pratiquer la langue anglaise !

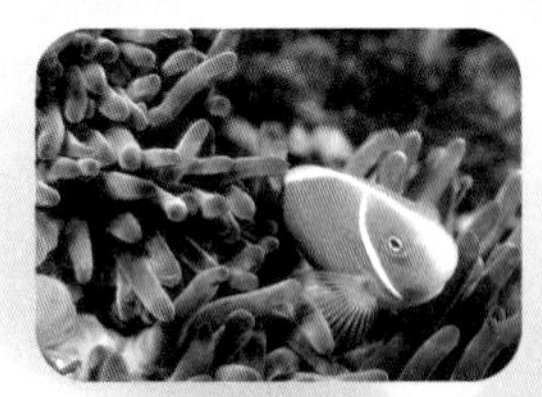

Les grandes étapes
Sydney, la barrière de corail ou encore Le lac Mac Kenzy sur l'île de Fraser, la rencontre avec des kangourous, le spectacle des surfeurs...

Tu viens avec un/des ami(s) ?
Nous avons un prix spécial pour toi !
-10% pour **2 inscriptions**,
-15% à partir de **3 inscriptions.**

Les activités
- Visites
- Baignades et jeux sur les plages
- Randonnées (3 à 4 h au maximum; un certificat médical est demandé à tous les participants)

Durant le séjour, nous devons parcourir environ 3000 kilomètres en bus et minibus sur les routes australiennes – prévoir un bon livre !

Le tarif comprend :
- Le transport vol A/R Paris / Sydney / Paris
- Les déplacements sur place (bus, trains, avions...)
- L'hébergement
- La pension complète
- Toutes les activités et visites prévues au programme

Il ne comprend pas :
- Les boissons extra et les dépenses individuelles.

1 Le séjour proposé est prévu pour...

a ☐ des enfants. b ☐ des adolescents. c ☐ des adultes. **1 point**

2 Pour participer à un séjour, vous devez... **1 point**

a ☐ parler anglais. b ☐ fournir un certificat médical. c ☐ être accompagné d'un adulte.

3 Vous vous inscrivez avec votre frère. Vous avez droit à une réduction de ....% **1 point**

4 Vous avez peur de vous ennuyer pendant le séjour. Vous emportez...

.... **1,5 point**

5 Qu'est-ce qui n'est pas compris dans ce séjour ? **1,5 point**

a ☐ les repas. b ☐ le transport. c ☐ achats personnels.

Total pour l'exercice 4 .../6

Ma note finale à la compréhension des écrits

Exercice 1 ...... + Exercice 2 ...... + Exercice 3 ...... + Exercice 4 ...... = .../25

Ici… là-bas : bienvenus en Martinique !

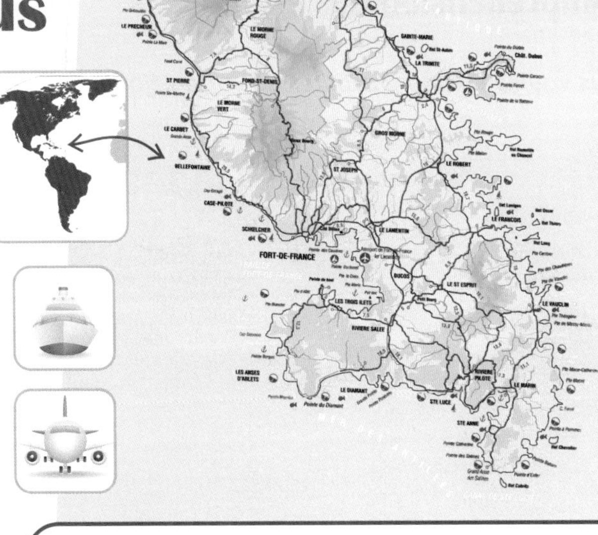

Compréhension de l'oral

47 MP3

Vous êtes en Martinique et vous entendez cette conversation entre deux élèves du collège François Auguste Perrinon. Répondez aux questions.

1 Marjorie est arrivée quand ?

....

2 Elle habite…

a ☐ avec ses parents.
b ☐ chez sa tante.
c ☐ en internat.

3 Le père de Brice travaille où ? ....

....

4 Le créole, c'est…

a ☐ quand on parle français avec un accent.
b ☐ une langue étrangère.
c ☐ la langue de l'île.

5 Quel métier veut faire Brice plus tard ?

....

6 Que demande Marjorie à Brice ?

....

La France c'est…

Les D.O.M = les Départements d'Outre-Mer (des régions qui sont des départements français… très loin de la métropole)

Martinique

Population : env. 398 000 habitants

Superficie : 1128 km^2

Capitale : Fort-de-France

Climat :

3 mots créoles

lékòl : l'école

on kayé : un cahier

dèmen : demain

Dans votre pays, on parle combien de langues ? Il y a des langues régionales, des dialectes ? Quelle langue parlez-vous chez vous ? Et à l'école ? Avec vos amis ?

Compréhension des écrits

Vous voulez vraiment profiter de votre séjour dans l'île ! Vous lisez ce dépliant touristique.

SURF POUR TOUS, LA MEILLEURE ÉCOLE DE SURF DE LA MARTINIQUE !

Venez jouer avec les vagues, le site de notre école est le meilleur de la Martinique ! Nous avons deux plages : la première pour les bons surfeurs (énormes vagues) et l'autre pour les débutants (vagues plus petites). Une équipe de professionnels vous conseille et vous accompagne. Le surf, c'est un art et une culture !

Nom	Séances	Jours	€	Notre avis
Stage passion	5	du lundi au vendredi	146	La meilleure façon d'apprendre à surfer.
Séance découverte	1	tous les jours	33	Un cours pour essayer !
Découverte 4 jours	4	tous les jours	120	Mini stage de surf.
Stage intensif	10	lundi/vendredi (matin et après- midi)	280	Pour les personnes qui aiment le sport.
Leçon particulière* (1 pers)	1	tous les jours	66	*** sauf de mi-juillet à fin août.**

INFOS PRATIQUES :
Les séances durent 1h30 (sauf les cours particuliers = 1 heure + séance découverte = 2 heures).
Le matériel est mis à disposition gratuitement pendant les heures de cours. Les groupes sont de 8 personnes maximum et travaillent avec des professeurs diplômés d'état. Un diplôme est remis à la fin du Stage passion.

Répondez aux questions.

1 Ce dépliant propose des activités...

a ☐ culturelles.
b ☐ sportives.
c ☐ artistiques.

2 Vous n'avez jamais pratiqué cette activité et vous voulez essayer. Combien payez-vous ?
.... €

3 Pour pratiquer cette activité, on n'a pas besoin d'apporter son matériel personnel. V F

Justifiez : ....
....

4 Qu'est-ce qu'on donne aux participants du stage passion ?

5 Vous avez un cours particulier à 16h00. À quelle heure avez-vous fini ?

a ☐ 17h00. b ☐ 17h30. c ☐ 18h00.

Production écrite

Lisez cette annonce.

Bienvenus en Martinique avec le projet Horizons 3000 !

1 BUT

découvrir le monde, rencontrer d'autres cultures, discuter, partager...

1 PROGRAMME

- des échanges (mail, skype, correspondance classique) avec des correspondants étrangers du monde entier ;
- des activités : les participants devront effectuer des recherches personnelles sur des thèmes divers (la biodiversité, le tourisme, l'école de demain) et présenter la situation dans leur pays d'origine.

1 OBJECTIF

L'organisation de la 1ère rencontre internationale des jeunes francophones à Fort-de-France.

2 participants par pays seront choisis pour participer à la rencontre (voyage et séjour gratuits).

1 CONDITION

Parler français !

Informations :
COLLÈGE FRANÇOIS AUGUSTE PERRINON
BOULEVARD AMILCAR CABRAL
97200 FORT-DE-FRANCE, MARTINIQUE
Mél : ce.9720010d@ac-martinique.fr

Vous étudiez le français et vous êtes très intéressé(e) par cette annonce. Vous envoyez un message pour demander des informations sur le projet HORIZONS 3000 et présenter votre candidature (60 à 80 mots) :

- vous décrivez vos activités (votre travail, vos études) ;
- vous expliquez pourquoi vous êtes intéressé(e) par le projet ;
- vous posez des questions sur la rencontre internationale (dates, durée, organisation du voyage, hébergement).

Production orale

Vous avez déjà pris l'avion pour faire un voyage lointain ? Racontez ! Si vous ne l'avez pas encore fait... Où aimeriez-vous aller ? Pourquoi ?

JEU DE RÔLE (Les scènes sont à jouer à deux !)

SUJET 1 → Envoyé spécial !

Vous avez participé au projet Horizons 3000 et vous avez été sélectionné pour partir en Martinique ! Mais vous allez manquer une semaine de classe. Vous allez voir le directeur de votre établissement pour lui expliquer et trouver des solutions pour rattraper les cours. Vous lui proposez aussi d'être « l'envoyé spécial » du collège à la rencontre internationale...

SUJET 2 → Dans un café

Vous visitez l'île avec vos camarades. Vous lisez l'affiche suivante à l'entrée d'un café et vous leur proposez d'entrer et de déguster ces spécialités. Mais vous ne savez pas quoi choisir. Vous demandez conseil au serveur.

Venez goûter nos délicieuses spécialités !

Carte des Boissons :

- **Jus** (citron, orange, orange amère, mandarine, ananas, fruits de la passion, prunes de Cythère, mangue, corossol, canne à sucre, goyave, tamarin)
- **Dlo kako** (chocolat à l'eau)
- **Chocolat Première Communion** (ou chocolat martiniquais)
- **Thé pays** (citronelle, atoumo, corossol...)
- **Mabi** (macération d'écorces) des Caraïbes

GRAMM'EXPRESS

Donner des instructions

Pour donner des instructions, des conseils, on emploie souvent des verbes à une **forme impersonnelle**.

Il faut + infinitif = c'est une obligation

__Il faut__ tourner à gauche pour arriver à la Poste.

Il vaut mieux + infinitif = c'est préférable, c'est une meilleure solution

__Il vaut mieux__ partir très tôt demain pour ne pas rater le train.

Il suffit de = c'est simple !

L'Arc de Triomphe ? __Il suffit de__ prendre le métro ligne 1 !

+ toutes les expressions sur le modèle : **il + est + adjectif + de + infinitif** (il est nécessaire de..., il est interdit de..., il est recommandé de...)

1 Complète les phrases avec *il vaut mieux* ou *il faut*.

1 .... donner la clef à la réception avant de quitter l'hôtel.
2 .... partir maintenant si tu veux arriver à l'heure.
3 Il fait frais ce soir : .... prendre un pull.
4 Pour faire des crêpes, ... prendre des œufs, du lait, du sucre et de la farine !
5 Pour pouvoir conduire une voiture, ... avoir 18 ans.
6 .... débrancher tous les appareils par prudence.
7 Quand vous vous en allez, ... fermer toutes les fenêtres.
8 Pour trouver cette information, ce n'est pas compliqué : .... regarder sur Internet !
9 À ton avis, ... réserver tout de suite ou attendre la semaine prochaine ?
10 .... un passeport pour aller en France ?

2 Complète par une expression sur le modèle *il + est + adjectif + de + inf*. Vous utiliserez les adjectifs : *important, indispensable, interdit, fondamental, dangereux, normal*.

1 .... se sentir fatigué quand on est malade !
2 Le jour de l'examen, ... arriver à l'heure.
3 Le jour de l'examen, ... utiliser un dictionnaire.
4 Le jour de l'examen, ... arriver reposé.
5 Le jour de l'examen, ... avoir du temps pour recopier.
6 .... de conduire trop vite.

Les pronoms démonstratifs neutres : *ce/c', ceci, cela/ça*

Les pronoms démonstratifs dits « neutres » renvoient toujours à un mot (ou à une proposition) qui a été cité avant.

– Tu aimes la glace au chocolat ?
– Oui ! J'aime beaucoup __ça__ !

Ça s'emploie dans un dialogue familier, informel.

Ceci et **cela** s'emploient dans une langue plus élégante, un message formel (à l'écrit par exemple).

Je n'ai pas dit __cela__ !

Avec le verbe *être*, on utilise **ce**, qui devient **c'**.

__C'__est important, tu sais !

3 Complète le dialogue avec *ce, c', ceci, cela, ça*.

– Bonjour Monsieur Dubois.
– Bonjour Sami, (1) .... va aujourd'hui ?
– Oui merci. Cet iPod dans la vitrine, (2) .... est combien s'il vous plaît ? Il a toutes les fonctions ?
– (3) .... dépend des fonctions que tu veux ! Je ne peux pas te dire le prix. Il vient d'arriver et je dois téléphoner pour me renseigner. Mais il y en a d'autres. Regarde, (4) .... peut t'intéresser.
– Non merci. Je voudrais le nouveau modèle, en noir.
– D'accord. (5) .... est un bon choix ! Je vais demander le prix.

Situer dans le temps (3)

Pour exprimer la **durée** (combien de temps dure l'action ?) on utilise les prépositions...

- **depuis** : l'action a commencé dans le passé et elle **n'est pas encore terminée** (le verbe est au présent)
  *Je révise **depuis** ce matin !*
- **pendant** : l'action a commencé dans le passé et elle **est terminée** (le verbe est au passé)
  *J'ai travaillé **pendant** tout l'été !*

4 Complète les phrases avec *depuis* ou *pendant*.

1. Je suis en France .... le mois de mars.
2. Je suis resté à Paris .... 6 mois.
3. Il habite en ville .... l'année dernière.
4. Le professeur a fait cours .... deux heures.

Les futurs irréguliers

Certains verbes très employés ont un futur irrégulier ! Attention à leur conjugaison !

avoir	*j'aurai*	pouvoir	*je pourrai*
être	*je serai*	savoir	*je saurai*
aller	*j'irai*	faire	*je ferai*
venir	*je viendrai*	envoyer	*j'enverrai*

5 Conjugue le verbe au futur.

1. Demain je (*t'envoyer*) .... le document que tu me demandes.
2. Nous (*venir*) .... le week-end prochain.
3. Est-ce que vous (*aller*) .... en vacances en juillet ou en août ?
4. J'espère que nous (*pouvoir*) .... partir demain.
5. À l'examen vous (*avoir*) .... deux écoutes et du temps pour relire.
6. Viens, tu (*faire*) .... tes exercices plus tard !
7. Demain elle (*être*) .... à Paris !
8. Je vais demander au professeur : il (*savoir*) .... ça !

Mes sons

Rappel : masculin / féminin.

Écoute et coche la case qui correspond au genre des adjectifs que tu entends.

	1	2	3	4	5	6	7	8	9	10
masculin										
féminin										

Prononciation de certains verbes en *er* au présent et à l'impératif.

Règle → les 3 premières personnes du singulier et la 1ère personne du pluriel de : emmener, préférer → le *e* central se prononce [ɛ] ; appeler, épeler → 2 *l* et accent tonique sur la 2ème syllabe ; jeter → 2 *t* et accent tonique sur la 1ère syllabe ; payer → *y* devient *i* et le groupe vocalique *ai* se prononce [ɛ]

Règle → l'orthographe de certains verbes change : commencer → devant *a/o*, le *c* devient *ç* (cédille) et se prononce [s] ; manger → devant *a/o*, on ajoute un *e* muet et on prononce [ʒ] et non [g]

Attention → *étudier* garde le *i* dans sa conjugaison (à l'imparfait les deux *i* se prononcent séparément).

Écoute et répète.

Rappel : les sons [e] et [ə]

Graphie [e] fermé : *é, et, es, est, ez, er*

Graphie [ə] muet : *e* en finale de syllabe ou monosyllabe et précédé d'une voyelle

Attention → En fin de mot, on prononce la consonne qui précède !

Écoute ces phrases et souligne en rouge quand tu entends le son [e], en bleu le son [ə].

1. Mes amis partent demain en vacances pour tout l'été.
2. Écrivez votre prénom et votre année de naissance à côté de votre nom de famille.
3. Les collégiens vont à l'école en métro pour ne pas arriver en retard.
4. Les jours où on ne travaille pas sont appelés des jours fériés, comme le dimanche.

45 min

Je découvre la... production écrite

QUI ? Tous les candidats **ensemble**. = **Épreuve collective.**

QUOI ? **Écrire en français.**

COMMENT ? 1 épreuve = **2 exercices**

1 — Un petit texte

J'écris pour :

– **décrire** un événement ;

– **raconter** une expérience personnelle.

2 — Un petit message

– J'**écris** à quelqu'un, je **réponds** à quelqu'un.

– J'écris pour **inviter**, **remercier**, **m'excuser**, **demander**, **informer**, **féliciter**…

La B.D. du DELF

Je comprends

Avant, je lis **les consignes**.
Ensuite, je fais les exercices.

J'écris

Je peux **faire un brouillon** mais je dois **recopier**.

Je vérifie

Je **relis** mon devoir et je **corrige** si je trouve des fautes.

1 Tu as participé pour la première fois au grand spectacle organisé par ton collège/lycée en jouant une pièce de théâtre en français. Tu racontes ta journée dans ton journal intime, du matin au soir. Tu décris tes activités et tu parles de tes émotions (joie, peur, fatigue, stress...) ; (60 à 80 mots).

....

....

....

....

....

....

....

....

2 Ton (ta) correspondant(e) français(e) t'envoie cette lettre. Tu lui écris que tu ne pourras pas aller en vacances avec lui (elle) et tu lui expliques pourquoi. Tu lui proposes d'organiser des vacances ensemble l'été prochain (60 à 80 mots).

> Salut!
> Pendant les vacances de Pâques, je vais dans les Alpes pendant une semaine.
> Mes parents ont dit que je pouvais inviter un ami.
> Qu'est-ce que tu en dis ? Tu veux venir ?
> On fera du ski et des promenades. On va bien s'amuser !
> J'attends de tes nouvelles ! Réponds-moi vite !

....

....

....

....

....

....

....

....

MES MOTS

Écrire

La correspondance traditionnelle
une lettre, une carte postale, un message, une note, un mot

Le courrier électronique
un mail, un mél, un courriel

Le(s) **destinataire(s)**

J'écris !

1 Tu lis ces documents.

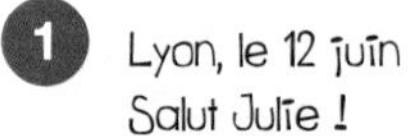

1

Lyon, le 12 juin
Salut Julie !
J'ai passé un week-end fantastique ! Tu ne devineras jamais où je suis allée ! Je te raconterai tout ! Et toi ? Comment étaient tes vacances ? J'attends de tes nouvelles !

2

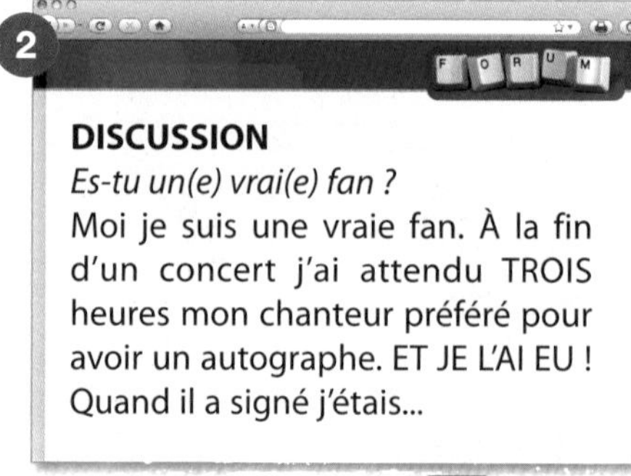

FORUM

DISCUSSION
Es-tu un(e) vrai(e) fan ?
Moi je suis une vraie fan. À la fin d'un concert j'ai attendu TROIS heures mon chanteur préféré pour avoir un autographe. ET JE L'AI EU ! Quand il a signé j'étais...

3

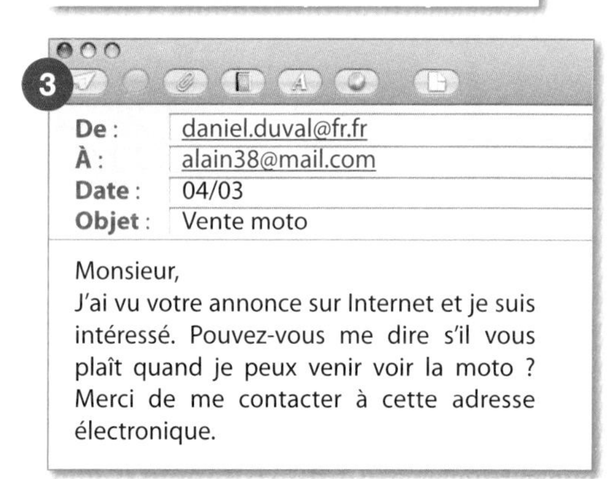

De : daniel.duval@fr.fr
À : alain38@mail.com
Date : 04/03
Objet : Vente moto

Monsieur,
J'ai vu votre annonce sur Internet et je suis intéressé. Pouvez-vous me dire s'il vous plaît quand je peux venir voir la moto ? Merci de me contacter à cette adresse électronique.

4

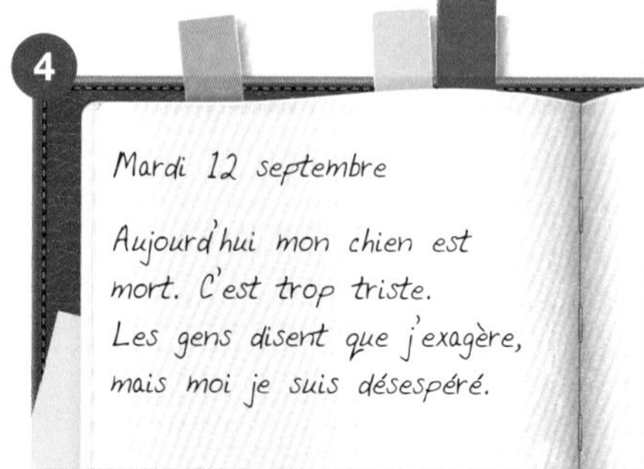

Mardi 12 septembre

Aujourd'hui mon chien est mort. C'est trop triste.
Les gens disent que j'exagère, mais moi je suis désespéré.

Écris le numéro qui correspond à chaque document.

1 C'est...
- a ☐ un journal personnel.
- b ☐ un mail.
- c ☐ un forum de discussion.
- d ☐ une carte postale.

2 On écrit à qui ?
- a ☐ À une personne connue.
- b ☐ À une personne inconnue.
- c ☐ À soi-même.
- d ☐ À plus d'une personne.

3 On écrit pour...
- a ☐ décrire une expérience.
- b ☐ raconter quelque chose.
- c ☐ exprimer ses sentiments.
- d ☐ demander des informations.

2 Complète le tableau ci-dessous en disant pour quel document...

	doc. n° 1	doc. n° 2	doc. n° 3	doc. n° 4
on attend une réponse.				
on n'attend pas de réponse.				

MÉMO

La situation de communication

Chaque document correspond à une **situation de communication** précise (Qui écrit ? À qui ? Pourquoi ? Pour quoi ?).

3 Voici le sujet d'un devoir de DELF A2. Lis la consigne.

PRODUCTION ÉCRITE

Vous avez participé à la fête de votre école, qui est très importante pour vous. Vous envoyez une lettre à un(e) ami(e) français(e) pour lui raconter votre journée. Parlez de vos activités et des sentiments que vous avez éprouvés (joie, impatience...). Écrivez un texte de 60 à 80 mots.

....

Réponds aux questions. J'écris...

1 Quoi ? (quel type de document ?) ....

Dans mon texte il y a...

une date ☐ oui ☐ non

des formules de politesse ☐ oui ☐ non

2 À qui ?

Une personne ou plus d'une personne ? ....

Je connais mon (mes) destinataire(s) ? ....

Je dis...

« tu » (c'est un texte amical) ☐

« vous » (c'est un texte formel) ☐

3 Pourquoi j'écris ? ....

Je dois faire quoi ? a .... b ....

J'emploie...

☐ le présent ☐ le futur ☐ le passé

4 J'écris un texte de quelle longueur ? ....

Un mot c'est quoi ? ....

DELF en poche !

Écrire c'est...

- ✓ **communiquer !** Pour pouvoir écrire, **il faut connaître la situation de communication** ;
- ✓ **bien lire la consigne** pour savoir :
  - **à qui on écrit :** quand **on ne connaît pas** le(s) destinataire(s), le message doit **respecter les règles de politesse française** (vouvoiement, formules de politesse).
  - **quoi écrire :** qu'est-ce qu'on demande ? (Raconter, donner ou demander des informations...)
- ✓ **rédiger** deux petits textes simples de **60 à 80 mots**. Attention ! À l'examen on te demande de **compter les mots** (**p. 79**).

MES MOTS

Écrire une lettre

la date, le lieu

le(s) destinataire(s)

les formules de politesse

la signature

J'écris pour raconter des événements

1 **Brigitte envoie une lettre à ses grands-parents. Mais elle arrive... à moitié ! Peux-tu imaginer ce que Brigitte a écrit et retrouver le texte manquant ?**

Dans le TGV, le
Chère grand-mère et cher
Aujourd'hui nous rentrons
et je trouve le temps pour vous écrire
train. Nous avons passé des vacances
d'Azur ! Nous sommes arrivés à Nice la semaine
L'appartement était très
ma chambre avait un balcon et je pouvais
Au défilé du Carnaval la parade était
avec des chars plein de fleurs et des costumes
J'ai vu beaucoup de danseurs et des
qui venaient du monde entier : c'était
Avec mon appareil j'ai fait des tas de
Je vous les ferai voir quand
Je vous
Brigitte

2 **Et dans ton pays ? Réponds aux questions.**

1 On ne travaille pas le .... (jour de la semaine).

2 Les « grandes » vacances, c'est...

a ☐ au printemps.
b ☐ en été.
c ☐ en automne.
d ☐ en hiver.

3 Quels sont les 3 principaux jours fériés de l'année (précise la date et le nom de la fête qui est célébrée) ?

a ....
b ....
c ....

4 Quelle est la fête que tu préfères ? Écris un petit texte pour raconter comment on la célèbre dans ta famille.

3 Pour toi les vacances idéales c'est...

a Choisis tes vacances parmi les propositions de ces agences de voyage.

1

2

En montagne

Vous aimez le sport ? Vous ferez du ski et de la luge sur les pistes des Alpes. Et le soir, vous pourrez déguster nos spécialités gastronomiques (la fondue, la raclette). Des vacances actives dans un panorama exceptionnel.

3

Un week-end à New-York

Venez découvrir toutes les activités d'une ville fascinante ! Au programme : les gratte-ciel et Central Park, le musée Guggenheim, les boutiques de la 5ème avenue, un spectacle de music-hall.

4

b Tu prépares ta valise. Qu'est-ce que tu emportes ?

c Tu as fait le voyage et tu racontes tes vacances. Tu peux :

- écrire une lettre ou un mail à un(e) ami(e) français(e) ;
- proposer un texte sur un forum francophone.

Attention ! N'oublie pas de préciser :

- quand tu es parti(e) ;
- avec qui tu as fait le voyage ;
- ce que tu as fait pendant tes vacances.

Mes mots

Raconter au passé

C'était...

Il était...

Il faisait...

J'étais...

*Il **faisait** un temps magnifique !* (imparfait = je décris)

***J'ai fait** plein de choses !* (passé composé = je raconte)

p. 78

DELF en poche !

Raconter c'est...

...parler d'un **moment spécial** que l'on a vécu (une journée, un événement).
Pour raconter tu dois :

✓ décrire le lieu où tu étais (tu réponds à la question : **où ?**) ;

✓ indiquer la date, la durée des événements (**quand ?**) ;

✓ préciser, décrire les personnes qui t'accompagnaient (**avec qui ?**) ;

✓ parler de tes activités (**quoi ?**).

MÉMO

Raconter ce que l'on a fait (seul ou avec d'autres)

Souvent *on = nous*

***On** a acheté (**nous** avons acheté) des glaces.*

4 Luc a visité l'aquarium de la Rochelle avec sa classe. Il a publié ses photos sur son blog. Remets les photos de Luc dans le bon ordre en leur donnant un numéro de 1 à 5.

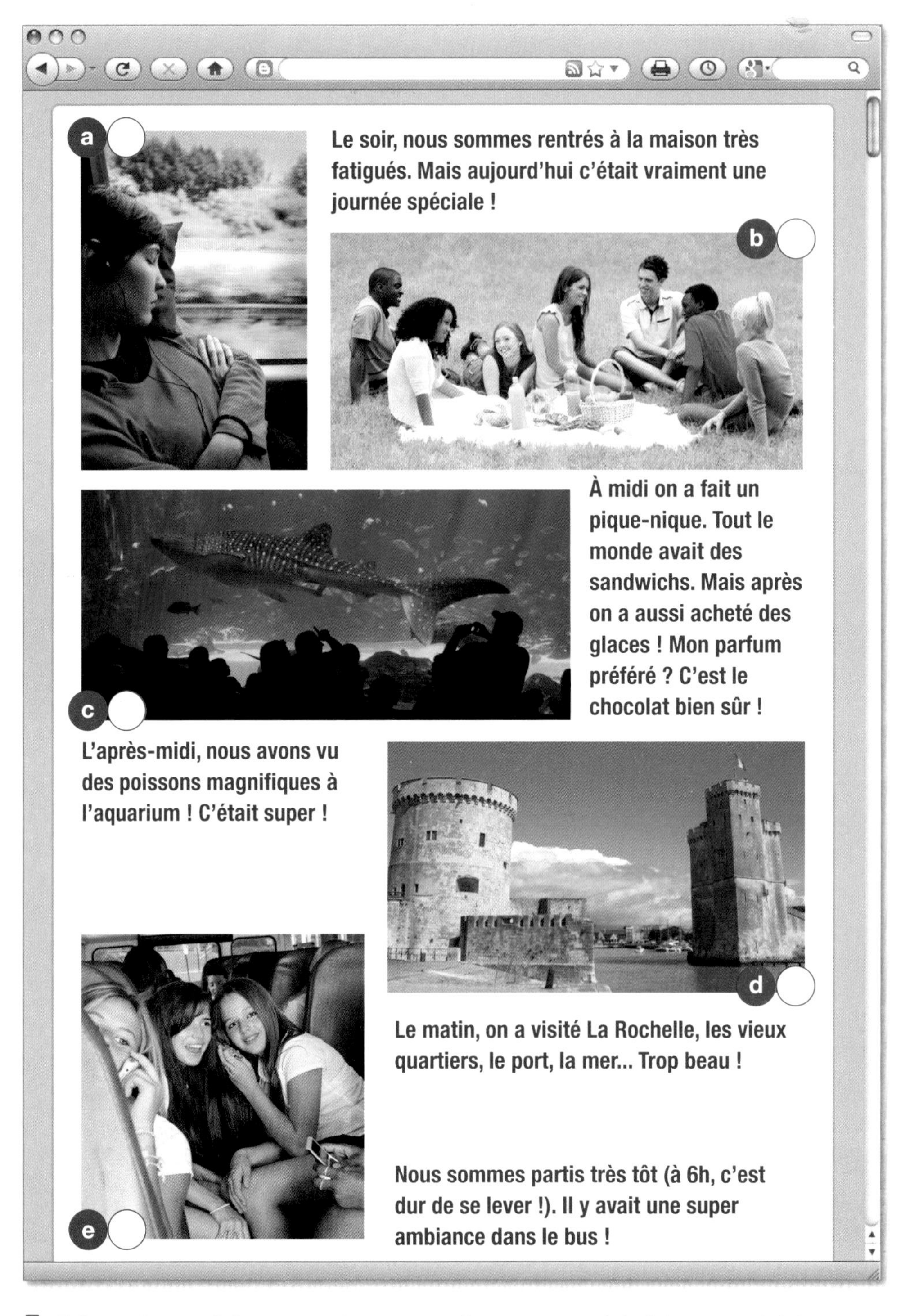

5 Toi aussi tu as fait une sortie avec ta classe ou participé à une activité scolaire avec tes camarades. Raconte :

- où tu es allé(e) (si vous avez fait une sortie de classe) ;
- avec qui tu étais ;
- ce que vous avez fait.

Tu peux utiliser des photos toi aussi!

MES MOTS

Écrire pour soi et pour les autres

Un journal intime

Un blog

Un forum de discussion

6 Lis les remarques que certains touristes ont écrit sur le livre d'or d'un site touristique. Que voulaient-ils dire ? Relie les deux colonnes par une flèche.

1 C'était un spectacle magnifique !

2 Je m'attendais à mieux.

3 Je n'en croyais pas mes yeux !

4 Cela mérite une visite.

5 C'était vraiment beau !

6 Ce n'était pas beau du tout !

C'était...

a laid.
b incroyable.
c décevant.
d spectaculaire.
e splendide.
f intéressant.

MES MOTS

Situer dans le passé (c'était quand ?)

(avant-) hier

la semaine/l'année dernière

le mois dernier

il y a ... (un mois, une semaine...)

p. 30

7 Ils passent une journée à Paris !

Doris, 15 ans, la "fashion victim"

Où ? Galeries Lafayette, Printemps de Paris, rue de Rivoli
Quand ? Toute la journée ! (déjeuner : une salade sur la terrasse panoramique du Printemps)
Quoi ? ACHETER (les soldes, les boutiques, la mode)
Comment ? En métro

Hector, 14 ans, le "cultureux"

Où ? Le Louvre, Notre-Dame
Quand ? Matin (le Louvre), fin d'après-midi (Notre-Dame). Déjeuner : un croque-monsieur à la cafétéria du Louvre
Quoi ? VISITER (les musées, les monuments)
Comment ? En bus

Alexandra, 13 ans, la « championne »

Où ? Un peu partout !
Quand ? Une journée complète d'exploration (Déjeuner : un sandwich rapide en pédalant !)
Quoi ? DÉCOUVRIR (les rues, les quartiers, les curiosités)
Comment ? À pied

Imagine ce qu'ils écrivent ! Tu peux ajouter des détails et modifier les itinéraires !

1 Doris envoie un mail à sa meilleure amie.
2 Hector écrit une petite lettre à son professeur préféré.
3 Alexandra raconte sa journée dans son journal personnel.

MÉMO

Attention à ne pas oublier les **mots de liaison** : *et, ou, mais, donc, car...*

p. 79

J'écris pour exprimer des sentiments, des émotions

1 **Dans ta ville il y a un endroit où tu vas souvent. Complète le tableau !**

Le lieu	Les activités sur place	Les raisons d'y aller	Les sentiments éprouvés
(où vas-tu ?)	(que fais-tu ?)	(pourquoi ça te plaît ?)	(comment te sens-tu ?)

2 **Tu fais partie du Jury Jeunes au Festival de Cannes. Hier c'était l'ouverture du festival et aujourd'hui...**

a Tu écris un petit texte pour ton blog. Tu utilises les notes que tu as prises pendant la journée.

11h arrivée à Cannes (train) il fait beau !
Installation à l'hôtel : chambre géniale !
Je vois la mer !
Sandwich rapide au déjeuner.

Après-midi : promenade en ville - Très beau :
plein de boutiques élégantes.
Beaucoup de monde.

Soir : IMPATIENCE ! (excitation, stress, joie... tout ensemble !)
19h30 cérémonie d'ouverture du festival -
photographes et journalistes partout !
PLEIN DE STARS (smokings, robes de soirée), le tapis rouge... Autographes !!!!!!
Une soirée inoubliable !

b Tu écris une petite lettre à ton/ta meilleur(e) ami(e) pour lui raconter que tu as rencontré ta star préférée !

3 **À Rome on tourne la suite du film *Gladiateur* ! Et le Colisée est fermé... Peux-tu imaginer ce que ces touristes français écrivent à leurs amis ? Relie les phrases des deux colonnes par une flèche.**

1	C'est dommage !	a	Je reviendrai à Rome une autre fois.
2	Tant mieux !	b	On a déjà visité tant de choses !
3	Tant pis !	c	J'étais trop fatigué pour faire la visite.
4	Ça ne fait rien !	d	Je rêvais de le visiter depuis longtemps.
5	Quelle chance !	e	Comme ça j'ai eu le temps de faire les boutiques !

4 La dernière fois que tu as éprouvé ce sentiment, c'était... ? Raconte ! Dans ton texte explique où tu étais, avec qui, ce que tu faisais, et pourquoi tu as éprouvé ce sentiment.

MES MOTS

Je me sentais/j'étais... (+ adjectif)

J'éprouvais un sentiment de... (+ nom)

5 Tu lis ces messages sur un forum de discussion français.

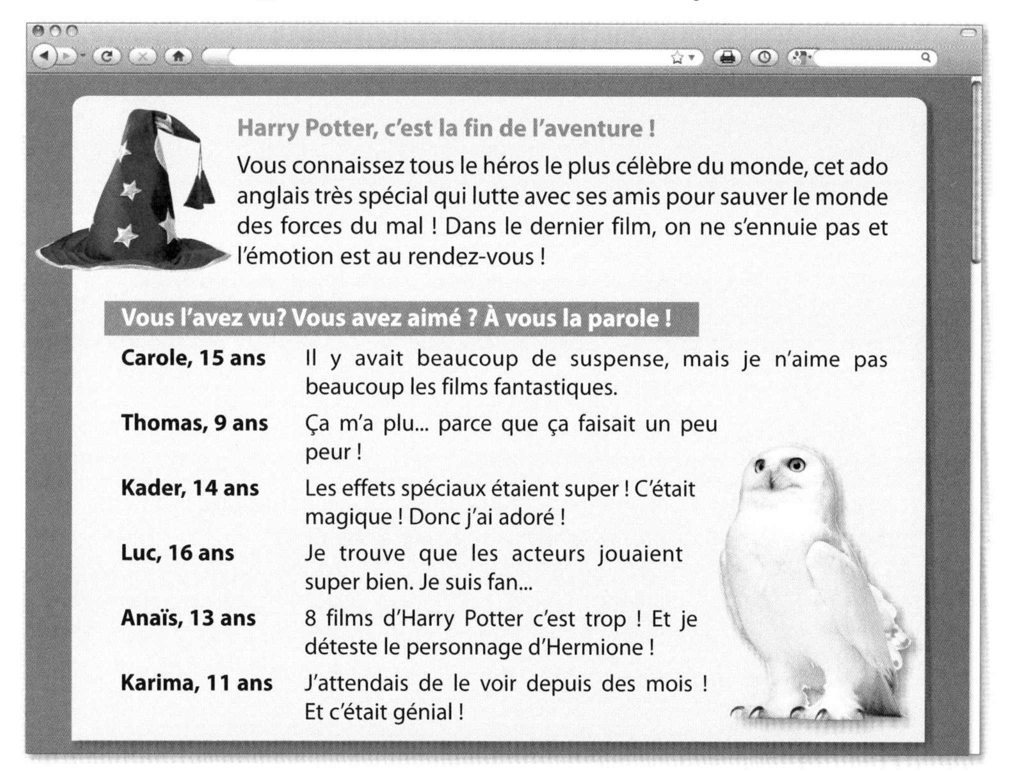

Harry Potter, c'est la fin de l'aventure !

Vous connaissez tous le héros le plus célèbre du monde, cet ado anglais très spécial qui lutte avec ses amis pour sauver le monde des forces du mal ! Dans le dernier film, on ne s'ennuie pas et l'émotion est au rendez-vous !

Vous l'avez vu? Vous avez aimé ? À vous la parole !

Carole, 15 ans	Il y avait beaucoup de suspense, mais je n'aime pas beaucoup les films fantastiques.
Thomas, 9 ans	Ça m'a plu... parce que ça faisait un peu peur !
Kader, 14 ans	Les effets spéciaux étaient super ! C'était magique ! Donc j'ai adoré !
Luc, 16 ans	Je trouve que les acteurs jouaient super bien. Je suis fan...
Anaïs, 13 ans	8 films d'Harry Potter c'est trop ! Et je déteste le personnage d'Hermione !
Karima, 11 ans	J'attendais de le voir depuis des mois ! Et c'était génial !

a Tu n'as pas vu le film ? Propose 3 bonnes raisons pour aller voir le film... ou pour NE PAS aller voir le film !

b Toi aussi tu as vu le dernier film de Harry Potter ? Rajoute un message !

c Présente un film que tu as aimé, ou ton film préféré. Fais un petit résumé de l'histoire, décris le héros et dis pourquoi le film te plaît.

DELF en poche !

Raconter c'est aussi savoir...

✓ exprimer les **sentiments**, les **émotions** que l'on a éprouvés en vivant certaines expériences spéciales ;

✓ **expliquer pourquoi** on éprouve ces sentiments et ces émotions ;

✓ dire ce qu'on aime ou ce que l'on n'aime pas.

MÉMO

Proposer

On peut utiliser le **futur** ou le **futur proche** :

*On **ira** se promener en ville.*

*On **va faire** plein de choses !*

Attention aux **futurs irréguliers** !

aller > *j'irai*

venir > *je viendrai*

pouvoir > *on pourra*

p. 55

J'écris pour proposer, donner ou demander des informations

1 Tu reçois cette lettre de ton correspondant français.

Dijon, le 15 juin

Bonjour !

Je suis super content de venir en vacances chez toi ! Mais j'ai besoin d'informations : quel temps fait-il en été dans ton pays ? Qu'est-ce que je dois mettre dans ma valise ? Quel programme as-tu prévu ? On va faire beaucoup de visites ? Où ? Est-ce qu'on fera du sport ? Le(s)quel(s) ? Tu me présenteras à tes amis ?

Réponds vite !

Julien

a Pour ne rien oublier, tu prépares ta réponse ! Complète le tableau.

Le temps	La valise	Les activités	Les rencontres
En général il fait...	Emporte...	On peut/on pourra...	On peut aller/on ira voir...
....	....	....	....
....	....	....	....

b Ton correspondant passe une semaine chez toi. Tu lui réponds et tu lui proposes un programme pour vos vacances ensemble.

Voici mon programme ! Je te propose de...

....

....

....

....

....

....

....

....

....

Qu'en penses-tu ? Tu es d'accord ?

2 Ton club de sport organise un week-end de découverte et tu veux inviter ton ami(e) français(e).

Week-end découverte : le programme !

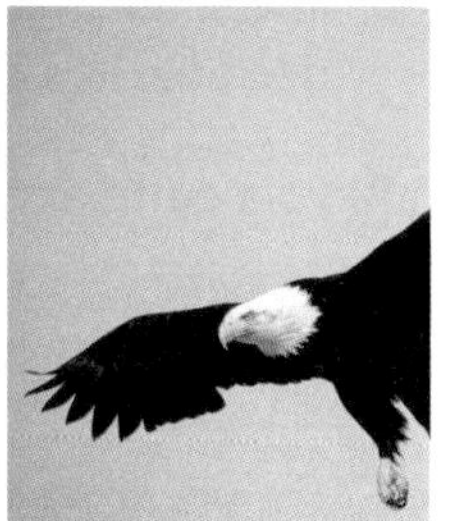

	JOUR 1	JOUR 2
matin	Départ 7h30 en bus	Randonnée
après-midi	Installation au camping	14-17h Observation des aigles
soir	21h Soirée chansons	Retour à 21h

Tu envoies un message à ton ami(e) pour l'inviter :

- tu lui donnes les dates de ce week-end ;
- tu présentes le programme (le lieu où vous allez, le logement, les activités) ;
- tu lui donnes des conseils pour faire sa valise ;
- tu lui dis combien il/elle doit payer pour le week-end.

3 Tu es un(e) écologiste convaincu(e) et tu veux proposer une « Journée de la nature » dans ton pays.

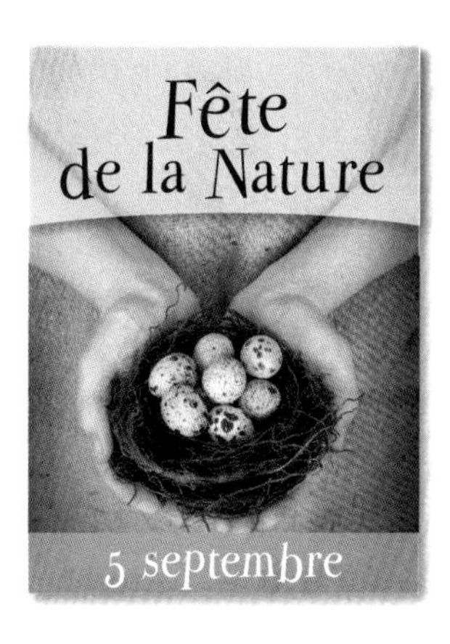

a Tu écris à tous tes amis pour les inviter. Tu leur donnes des informations sur :

- la date de cette journée spéciale et pourquoi c'est important ;
- l'heure ;
- le lieu du rendez-vous ;
- les activités que tu proposes.

b Tu leur demandes aussi s'ils ont des idées pour la journée. Tu précises que le soir tu organises une grande fête chez toi !

4 Tu habites dans un immeuble. Tu écris un message à tous tes voisins pour :

- les informer de l'événement ;
- demander pardon à l'avance : tu sais que tes amis et toi vous allez faire du bruit pendant la fête !
- les inviter à participer à la fête !

MES MOTS

Situer dans le futur (c'est quand ?)

(après-) demain

la semaine / le mois / l'année } prochain(e)

dans... (une semaine, un mois...)

p. 30

MÉMO

C'est à quelle heure ?

Rendez-vous **à**...

On peut se voir **de**... **à**...

Ça dure **jusqu'à**...

Mes mots

Demander des informations

Je voudrais (j'aimerais) savoir...

Est-ce que je peux... ?
Est-il possible de... ?

Je te / vous remercie (à l'avance)

5 Ton école veut faire un jumelage avec un collège français. Le directeur demande à ta classe d'écrire une lettre pour...

a donner des informations sur l'établissement (Où est ton école ? Comment est-elle ?), les classes et les matières enseignées et dire pourquoi c'est important de faire le jumelage ;
b inviter les Français : vous proposez une date pour leur prochaine visite et des activités pour la durée de leur séjour.

6 Tu vois cette annonce sur Internet.

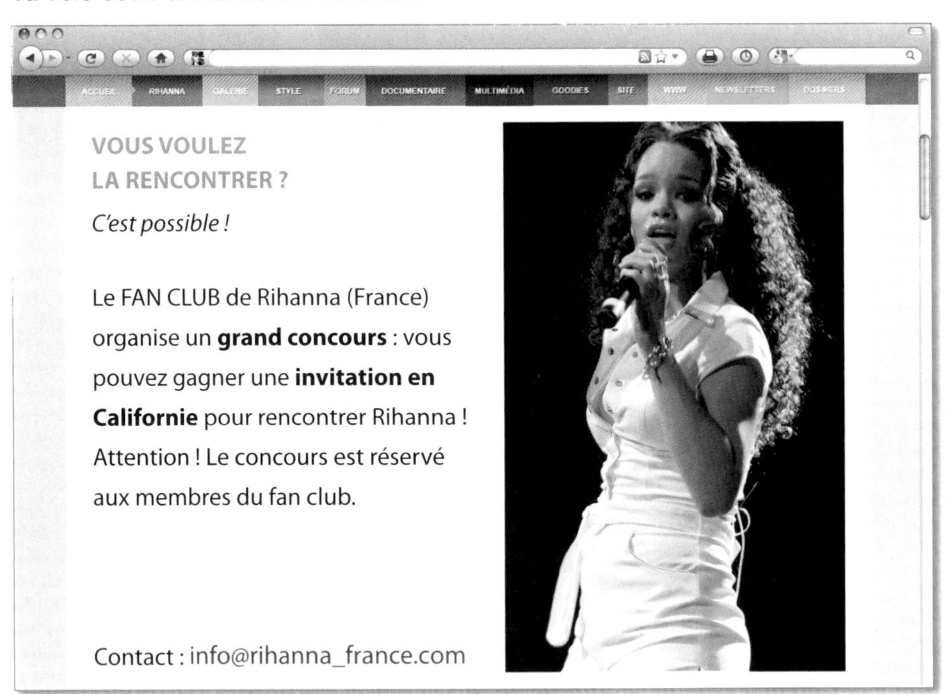

Mémo

Poser des questions

Est-ce que... ?

Quand ? Où ?

Comment ? Combien ?

Quel(s) / quelle(s)... ?

p. 78

Tu envoies un message :

- tu te présentes et tu expliques que tu es un fan de Rihanna (et tu dis pourquoi !) ;
- tu dis que tu veux t'inscrire au fan club : tu demandes comment faire (renseignements à fournir, tarifs...) et les activités que propose le club (Photo dédicacée ? Informations exclusives ? Rencontres ?) ;
- tu demandes des informations sur le concours (les dates, les conditions de participation).

DELF en poche !

Écrire c'est...

✓ pouvoir **communiquer** dans des situations simples de la **correspondance** quotidienne (**lettre**, **mail** ou **petit mot**) pour :

- **proposer**, **décrire** un projet ou un programme (des dates, des activités...) ;
- **fournir ou demander** des informations (des horaires, une adresse, des coordonnées...).

7 Tu lis cette annonce qui t'intéresse.

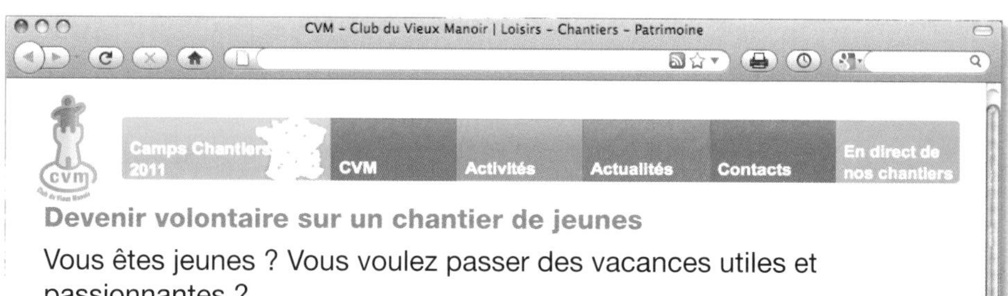

Devenir volontaire sur un chantier de jeunes

Vous êtes jeunes ? Vous voulez passer des vacances utiles et passionnantes ?
Le Club du Vieux Manoir existe depuis 1952. L'association a participé au sauvetage et à la restauration de plus de 240 monuments français dans plus de 40 départements.

Venez vivre une expérience unique !

Les chantiers de jeunes rassemblent des volontaires de tous âges et de toutes nationalités. Contactez-nous ! info@leclubduvieuxmanoir.fr

MÉMO

Poser des questions (2)

Peux-tu/pouvez-vous...
- me confirmer **que**... ?
- dire **si**... ?

p. 78

Tu envoies un message à l'association :

- tu te présentes (âge, nationalité, études, expérience...) et tu donnes tes disponibilités (dates de vacances, durée de ton séjour) ;
- tu dis pourquoi tu es intéressé(e) par cette expérience de chantier de jeunes ;
- tu demandes des informations (le travail sur le chantier, le logement, la durée et le prix des séjours...).

8 **Cette année tu t'es inscris à un cours de langue intensif en France et tu es dans le groupe « A2 ». Avec tes amis vous voulez aller dîner ensemble un soir.**

a Tu es le/la meilleur(e) en français et tes amis te demandent d'écrire au restaurant pour réserver ! Dans le message :

- tu présentes le groupe en indiquant le nombre de personnes qui le composent et la date que vous avez choisie et tu fais la réservation ;
- tu demandes des informations sur les menus : dans le groupe il y a une fille qui ne mange ni viande ni poisson, et deux garçons qui ne mangent pas de porc ;
- tu donnes les coordonnées nécessaires pour te joindre en cas de problème ;
- tu précises à quelle heure vous pensez arriver au restaurant ;
- tu demandes une confirmation de ta réservation.

b Vous avez des amis dans le groupe « A1 » et vous voulez les inviter aussi. Mais ils vont à un spectacle à la date prévue et donc ne sont pas libres pour venir à votre dîner. Vous écrivez au restaurant pour :

- expliquer la situation ;
- demander de changer la date de votre réservation ;
- confirmer le nombre de participants au dîner.

J'écris pour accepter ou refuser une invitation

1 Éric reçoit ce mail.

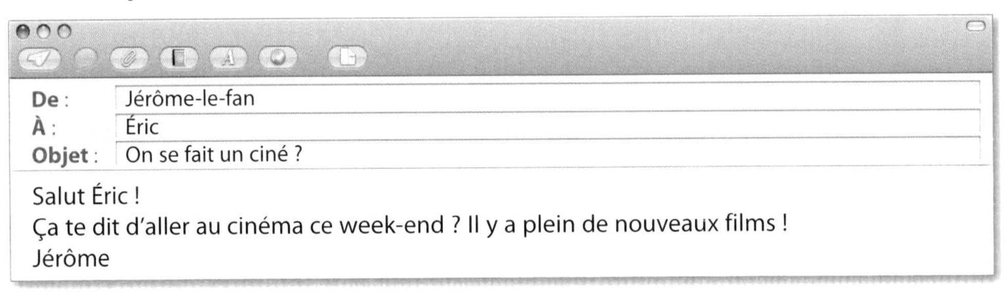

De : Jérôme-le-fan
À : Éric
Objet : On se fait un ciné ?

Salut Éric !
Ça te dit d'aller au cinéma ce week-end ? Il y a plein de nouveaux films !
Jérôme

a Éric hésite : aller ou ne pas aller au cinéma avec Jérôme ?

	ACCEPTER	REFUSER
REMERCIER pour l'invitation et **DONNER** une réponse (oui ou non)	*Je te remercie.../C'est gentil de...* et je	mais je ....
TROUVER une bonne raison (ou plusieurs)	**1** Ça fait longtemps qu'on ne sort pas ensemble ! ou **2** .... ou **3**	**1** J'ai la grippe. ou **2** .... ou **3** ....
DEMANDER des informations ou **PROPOSER** un rendez-vous		

1 CINÉMA LUX / CINÉMA REX / CINÉMA BEAUBOURG

2 AVRIL
1 2 3 4 5 6 7
8 9 10 11 12 13 14
15 16 17 18 19 20 21
22 23 24 25 26 27 28
29 30

3

b Que répond Éric à Jérôme ? À toi de décider. Imagine son message !

DELF en poche !

Répondre c'est...

- ✓ bien **comprendre la situation** (Qui a écrit ? On m'invite à quoi ? Quand ? Où ?)
- ✓ respecter les règles de présentation d'une lettre ou un mail (Attention aux formules de politesse !)
- ✓ comprendre qui est le **destinataire** (**tu** ou **vous** ?)
- ✓ **lire attentivement la consigne** (qu'est-ce qu'on demande ?)

2 Observe les images et lis les messages que reçoivent ces jeunes.

Situation 1

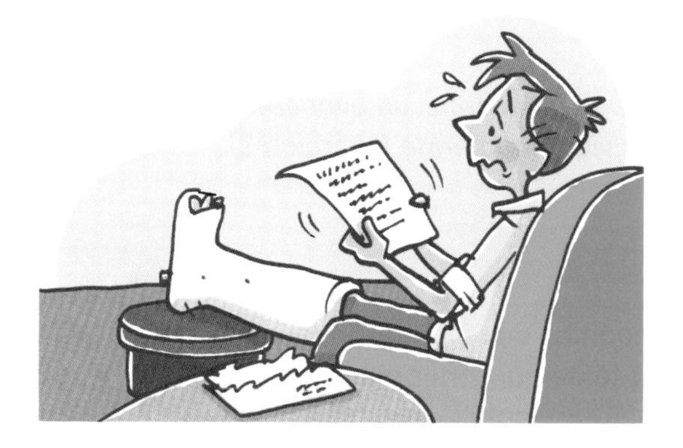

CLUB VTT Amiens

Cher Vincent,
Le week-end prochain comme chaque année, notre club organise un concours d'acrobaties en VTT. Rendez-vous samedi au parc à 15h30 avec toute l'équipe.

Salutations distinguées,

Le Président
Benjamin Béjart

Situation 2

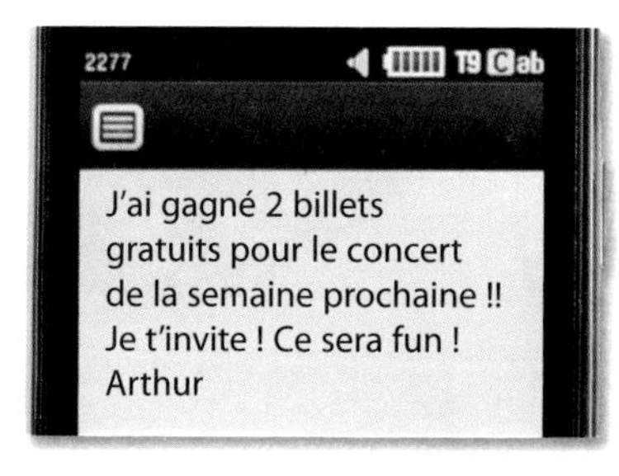

J'ai gagné 2 billets gratuits pour le concert de la semaine prochaine !! Je t'invite ! Ce sera fun !
Arthur

Situation 3

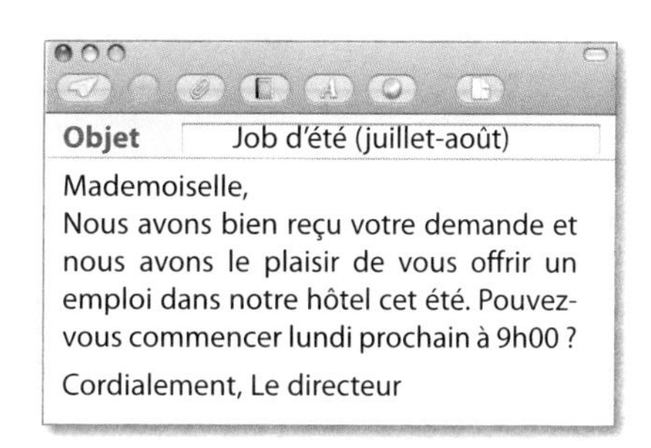

Objet: Job d'été (juillet-août)

Mademoiselle,
Nous avons bien reçu votre demande et nous avons le plaisir de vous offrir un emploi dans notre hôtel cet été. Pouvez-vous commencer lundi prochain à 9h00 ?

Cordialement, Le directeur

Pour chaque situation, peux-tu imaginer la réponse de ces jeunes ?

3 Tu reçois cette lettre. Tu réponds à cette invitation :

- tu remercies ;
- tu ne peux pas assister à la cérémonie et tu dis pourquoi ;
- tu informes le Président de l'Alliance Française que ton père ira à Paris à ta place.

Paris, le 3 septembre

Mademoiselle, Monsieur,
À la dernière session DELF vous avez obtenu les meilleures notes de votre pays à l'examen A2. Nous avons le plaisir de vous inviter à la cérémonie internationale de remise des diplômes qui aura lieu le 12 octobre prochain.
Merci de confirmer votre participation par retour de courrier.

Salutations distinguées,
Le Président

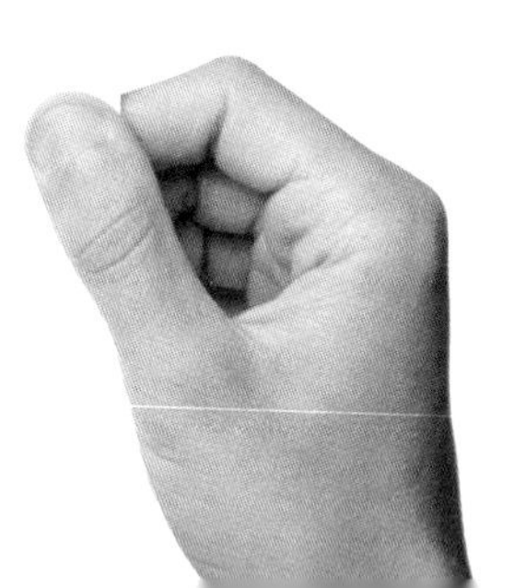

MES MOTS

La politesse

Remercier

Merci

Je te (vous) remercie de cette invitation / de m'avoir invité(e)

Demander pardon

Je suis vraiment désolé(e)

Excuse(z)-moi

Je regrette

Je vous prie d(e m)'excuser

Je m'entraîne à la... production écrite

Utilisez les images pour vous aider !

L'épreuve est constituée de 2 exercices différents. Vous devez raconter un événement ou une expérience (exercice 1) et rédiger un petit message de la vie quotidienne (exercice 2).

Exercice 1 (13 points)

Vous avez fait un voyage à Paris avec votre classe. Vous racontez ce séjour (transport, météo, activités, repas, etc...) et vous donnez vos impressions dans un petit texte qui sera publié sur le site internet de l'école. Vous pouvez vous aider des illustrations suivantes (60-80 mots).

La Cathédrale Notre-Dame

Le métro

Des crêpes

Bateau-mouche sur la Seine

....

....

....

....

....

....

Ma grille

Je sais faire... ?	Note max.	Ma note
Je comprends la consigne (et j'écris le nombre de mots demandés).	1	
Je sais raconter et décrire.	4	
Je sais donner mes impressions.	2	
Je connais les mots et les expressions pour m'exprimer.	2	
Je ne fais pas beaucoup de fautes de grammaire.	2,5	
Je connais des petits mots utiles (« et », « puis », « alors »...).	1,5	
Total pour l'exercice 1	/13	

Exercice 2 (12 points)

Vous avez reçu ce message. Vous répondez à Véronique : vous la remerciez et vous acceptez son invitation. Vous lui dites quel costume vous avez choisi et vous précisez ce que vous apporterez pour sa fête (60-80 mots).

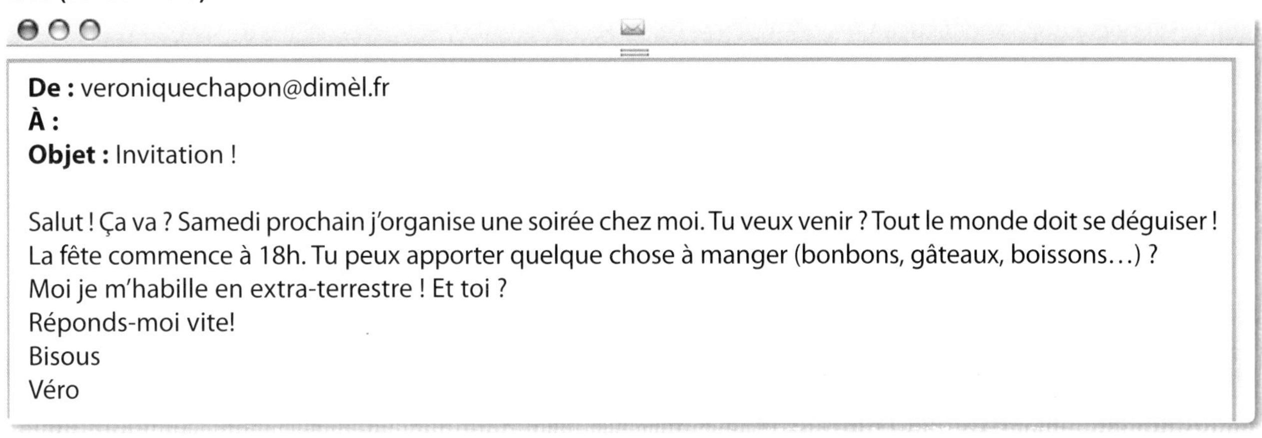

De : veroniquechapon@dimèl.fr
À :
Objet : Invitation !

Salut ! Ça va ? Samedi prochain j'organise une soirée chez moi. Tu veux venir ? Tout le monde doit se déguiser ! La fête commence à 18h. Tu peux apporter quelque chose à manger (bonbons, gâteaux, boissons…) ? Moi je m'habille en extra-terrestre ! Et toi ?
Réponds-moi vite!
Bisous
Véro

Ma grille

Je sais faire… ?	Note max.	Ma note
Je comprends la consigne (et j'écris le nombre de mots demandés).	1	
Je sais écrire une lettre, un message amical…	1	
Je sais remercier, accepter, refuser, m'excuser…	4	
Je connais les mots et les expressions pour m'exprimer.	2	
Je ne fais pas beaucoup de fautes de grammaire.	2,5	
Je connais des petits mots utiles (« et », « puis », « alors »…).	1,5	
Total pour l'exercice 2	/12	

Ma note finale à la production écrite

Exercice 1 ...... + Exercice 2 ...... = .../25

Je m'évalue !

3 production écrite

Tu es prêt pour l'examen ?

C'est difficile ? Coche (✗) la case de ton choix :

- 😊 tu as peu de difficultés
- 😐 tu as quelques difficultés
- ☹ tu as beaucoup de difficultés

		😊	😐	☹
Je peux				
	lire la consigne en détail et comprendre le sujet (J'écris à qui ? Pourquoi ? J'écris quoi ?).			
	Rédiger des textes courts et simples sur des sujets de la vie quotidienne pour : – raconter un moment particulier, une expérience, parler de mes impressions et de mes sentiments ; – écrire un message (une petite lettre, un mail, un petit mot) contenant des informations.			
Je sais				
	décrire de manière simple (les lieux, les gens, les choses).			
	raconter un événement en le situant dans le temps.			
	donner et demander des nouvelles, des informations.			
	proposer une activité, un rendez-vous.			
	accepter et refuser une invitation, remercier, féliciter, demander pardon.			
Je connais				
	les règles pour écrire une lettre, un message (formels ou amicaux).			
	les formules de politesse (formelles ou amicales).			
	les mots pour raconter dans le temps (Quand ? À quel moment ?).			
	les mots de liaison.			
	Total			

Mes résultats :
+ de 😊 → Bravo !
+ de 😐 → Pas mal !
+ de ☹ → Attention !

On l'écrit quand...

a Je ne peux pas venir parce que j'ai l'examen du DELF.

b J'étais ravi !

c Je voudrais changer la date de mon séjour.

d Ça ne m'a pas plu du tout !

e On peut se voir à 15h00 si tu veux.

1 ☐ on annule une réservation.
2 ☐ on donne une explication.
3 ☐ on donne son avis.
4 ☐ on fixe un rendez-vous.
5 ☐ on parle de ses sentiments.

Ici... là-bas : voyage en Francophonie !

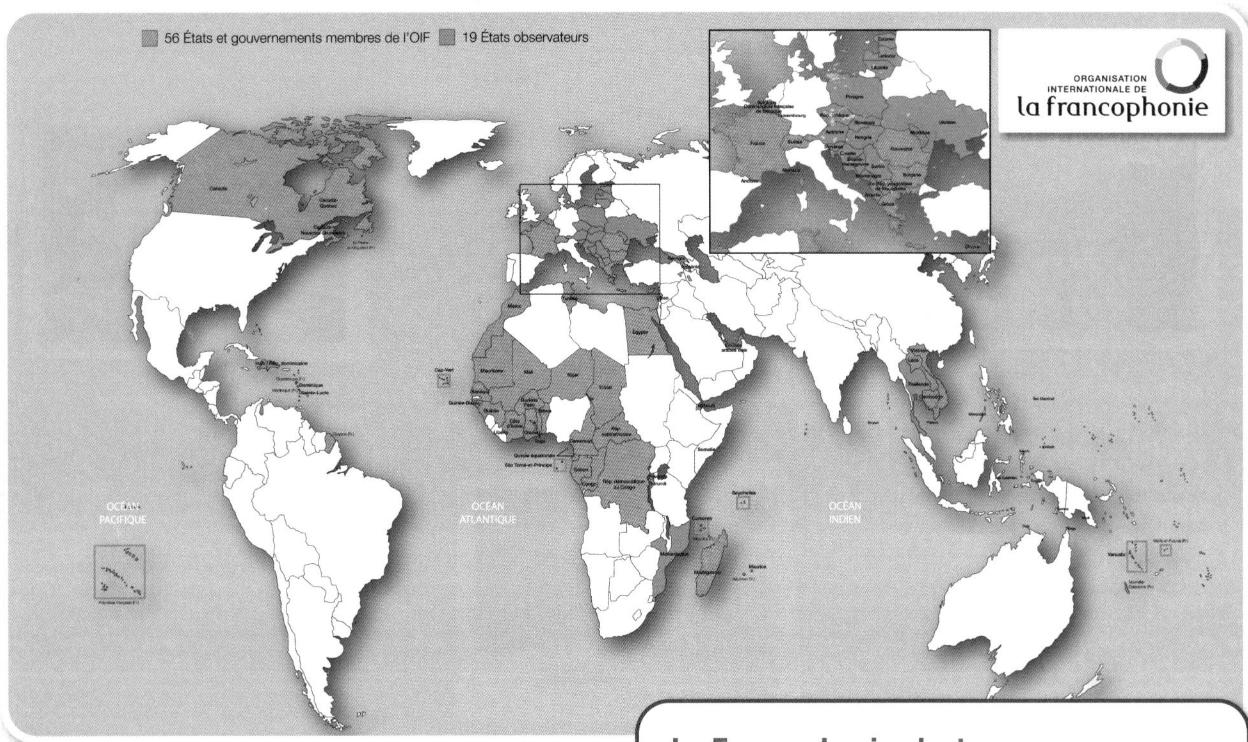

La Francophonie c'est...

- 200 millions de personnes qui parlent français dans le monde ;
- 58 pays où on parle français.

3 mots en... canadien

clavarder	chatter
un char	une voiture
pantoute !	pas du tout !

Compréhension de l'oral

Vous écoutez la radio. Répondez aux questions.

1 Qui a annoncé les dates du festival de Québec ? ....

2 C'est un festival pour les amateurs de...

a ☐ musique. b ☐ danse. c ☐ théâtre.

3 Quel est le dernier jour du festival ?

....

4 On prévoit combien de spectacles ?

....

5 Cette année le festival veut être...

a ☐ écologique.
b ☐ international.
c ☐ extraordinaire.

6 Pour respecter l'environnement, comment peut-on venir au festival ?

a

b

c

Dans votre pays les gens sont-ils francophones ? Le français est une langue utilisée souvent ou elle est seulement enseignée à l'école ?

Compréhension des écrits

Cet été vos amis veulent tous partir en vacances dans un pays où on parle français ! Pour les aider, vous consultez la brochure d'une agence de voyages.

PAYS Nº 1

Le Canada
Passez un été différent sous le signe de l'aventure !
Notre randonnée sur le sentier pancanadien vous permettra de découvrir les merveilles d'une nature encore sauvage qui obéit aux lois d'un climat rude.

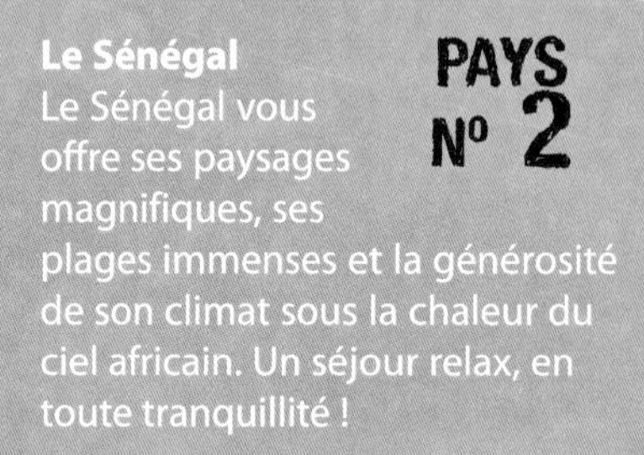

PAYS Nº 2

Le Sénégal
Le Sénégal vous offre ses paysages magnifiques, ses plages immenses et la générosité de son climat sous la chaleur du ciel africain. Un séjour relax, en toute tranquillité !

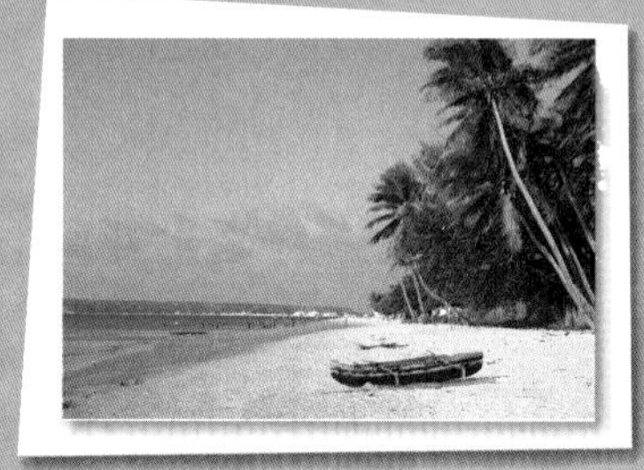

PAYS Nº 3

Le Cambodge
Un pays fascinant au cœur de l'Asie mystérieuse. Venez découvrir les trésors d'une civilisation ancienne : le Palais royal, la Pagode d'or, les temples au fond des forêts...

PAYS Nº 4

La Belgique
Voisine de la France, la Belgique est pourtant très différente !
Elle est fière de ses traditions nordiques... et de sa gastronomie généreuse.
Un voyage à déguster !

PAYS Nº 5

Madagascar
Vous rêvez d'une destination qui ne ressemble à aucune autre? L'Île de Madagascar est faite pour vous ! Notre safari-nature vous permettra d'admirer les espèces les plus rares de plantes et d'animaux exotiques.

Choisissez une destination pour chaque personne.

Situation	Pays n°
Ivana sera déjà à Paris avec ses parents. Elle ne veut pas faire un autre long voyage !	
Bhanu veut faire des photos exclusives.	
Solveig est une vraie sportive.	
Aiko est plutôt paresseuse. Les vacances, c'est fait pour se reposer au soleil !	
Jasper donne toujours la priorité aux activités culturelles.	

Production écrite

Vous êtes jeunes ?

Vous aimez le sport et la culture ?

Vous parlez français ?

Alors participez aux
« **Jeux de la Francophonie** »,
une formidable rencontre entre 3000 jeunes artistes et athlètes venus du monde entier !

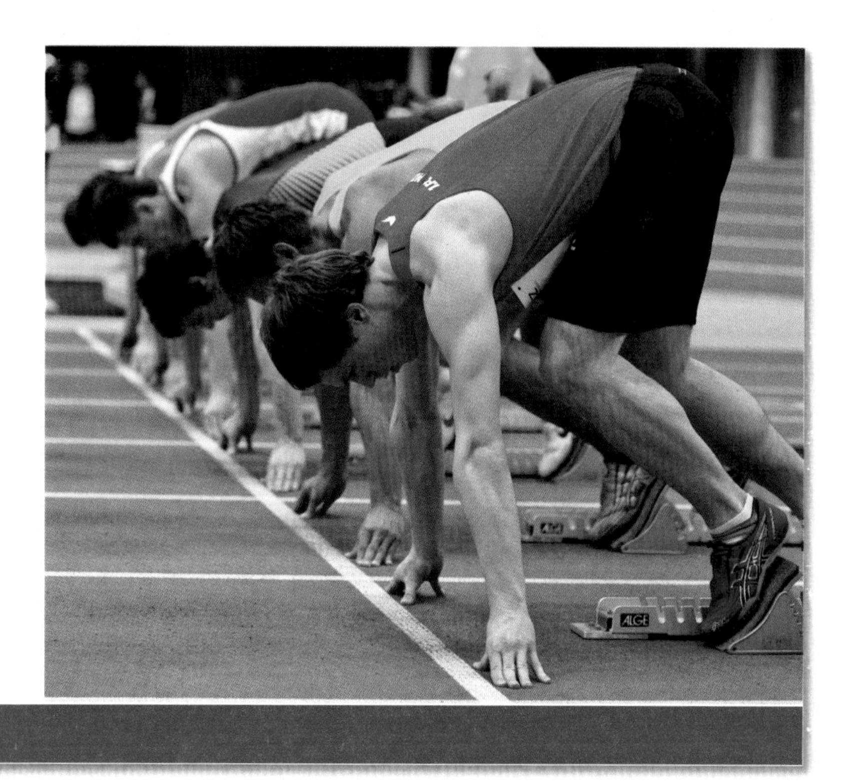

Vous avez participé aux derniers Jeux de la Francophonie comme envoyé spécial de votre école. Vous avez vu les principales compétitions et vous avez rencontré des jeunes du monde entier qui parlent français. Vous racontez cette expérience et vous donnez vos impressions (60 à 80 mots).

Production orale

Pour vous, apprendre les langues c'est important ? Pourquoi ? Pourquoi apprenez-vous le français ? C'est une langue qui vous plaît ? Quelle autre langue aimeriez-vous connaître ?

SUJET

La scène est à jouer à deux en utilisant les documents de la compréhension écrite !

Vous avez réussi l'examen du DELF A2. Vos parents vous offrent un voyage dans un pays francophone et vous consultez la brochure d'une agence de voyages. Vous demandez conseil à l'assistant de français de votre école et vous faites votre choix.

GRAMM'EXPRESS

Raconter au passé

Quand on raconte un moment que l'on a vécu, une expérience, on emploie les **temps du passé**.

Attention !

- On utilise **l'imparfait** quand...
  - on fait une description
    *Le ciel **était** bleu, le paysage **était** magnifique.*
  - les actions durent, se répètent
    *Je **pouvais** aller à la plage tous les jours.*
- On utilise **le passé composé** pour les actions qui se produisent une seule fois, qui se succèdent (l'une après l'autre). Attention à **l'accord du participe passé** !
  *Dimanche, Theo **est allé** à la plage, mais sa sœur **est allée** au cinéma avec ses copines.*

1 **Mets les verbes entre parenthèses au passé en choisissant l'imparfait ou le passé composé.**

1 Quand j' (*être*) .... en vacances, je (*aller*) .... à la plage tous les jours.

2 Aujourd'hui je (*visiter*) .... la ville, je (*prendre*) .... plein de photos et puis je (*écrire*) .... des cartes postales.

3 Quand je (*arriver*) .... à la gare, le train (*être*) .... déjà plein !

4 On (*visiter*) .... le musée : c'(*être*) .... très intéressant !

5 Mon père (*prendre*) .... la mauvaise route et on (*arriver*) .... très tard !

6 Je (*réussir*) .... à avoir des places pour le spectacle : c' (*être*) .... super !

2 **Mets les verbes entre parenthèses au passé et fais tous les accords !**

1 Mes amies (*venir*) .... avec moi au cinéma.

2 Léa (*partir*) .... en Angleterre hier.

3 Elle (*vouloir*) .... l'aider mais elle (*se tromper*) ....

4 Où sont les lunettes de soleil que tu (*acheter*) .... ?

5 Ma mère (*revenir*) .... très contente de ses vacances.

Poser des questions

Quand la réponse est *oui/non*, on emploie :

- est-ce que... ?
  ***Est-ce que** tu iras en France cette année ?*
- l'inversion du sujet : ***Iras-tu** en France cette année ?*

Attention ! *Est-ce que* (interrogation directe) devient *si* dans **l'interrogation indirecte**.

*Est-ce que l'hôtel est près de la mer ? > Pouvez-vous me dire **si** l'hôtel est près de la mer ?*

Quand on ne peut pas répondre par *oui* ou par *non*, on emploie :

- des adverbes interrogatifs : *Où ? Quand ? Combien ? Comment ? Pourquoi ?*
- des pronoms interrogatifs *: Qui ? Que ?*
- l'adjectif interrogatif *Quel ?*

Attention ! Il s'accorde comme un adjectif.

	masc.	**fém.**
sing.	quel	quelle
plur.	quels	quelles

3 **Imagine la question qui correspond à cette réponse.**

1 Je suis arrivée la semaine dernière.

2 Nos vacances se passent très bien !

3 Parce que je n'en avais pas envie !

4 L'hôtel qui est en face de la gare, il est pratique.

4 **Pose la question de manière indirecte en ajoutant : *pouvez-vous me dire / m'indiquer / me préciser..., je voudrais savoir...***

1 Est-ce qu'il fait chaud dans ton pays en été ?

....

2 Est-ce que tu viendras à ma fête samedi ?

....

3 Est-ce que vous pouvez apporter un gâteau ?

....

4 Est-ce que je peux réserver pour 4 personnes ?

....

5 Est-ce que je peux payer avec un chèque ?

....

6 Est-ce que le train est à l'heure ?

....

Compter les mots du devoir

À l'examen on te demande :
- d'écrire **deux** petits textes de **60** à **80 mots** ;
- de **vérifier le nombre** de mots que tu écris.

Pour compter les mots, voici la règle !
Un mot, c'est l'ensemble de signes **unis par le sens** (ils forment un tout !) placés **entre 2 espaces**.

C'est = 1 mot
Attention : tous les numéros de téléphone = 1 mot
C'est Ok = 2 mots
À la mer = 3 mots
Réponds-moi s'il te plaît ! = 4 mots

Les mots de liaison

Les textes que tu écris à l'examen sont courts et simples. Mais pour relier les phrases entre elles, tu dois utiliser des petits mots dits de **liaison** : *mais, ou, et, donc, car, parce que*...

Attention : Chaque mot a un sens différent.

mais = une opposition
Je voulais visiter le Louvre ***mais*** *c'était fermé !*

ou = un choix (1 chose ou 1 autre)
On se voit demain ***ou*** *lundi ?*

et, **puis** = une liaison (2 choses ensemble) + pour une énumération : ***d'abord***, ***ensuite***, ***enfin***...
Je suis allé à la Tour Eiffel ***et*** *(puis) au Louvre.*
Je suis allé ***d'abord*** *à la Tour Eiffel,* ***ensuite*** *au Louvre et* ***enfin*** *j'ai fait une promenade en bateau-mouche.*

donc = une conséquence
Mes parents n'étaient pas d'accord ***donc*** *je n'ai pas pu venir.*

car, parce que = une explication
Je n'ai pas pu venir ***parce que mes*** *parents n'étaient pas d'accord.*

5 **Lis ce télégramme. Peux-tu le récrire comme un texte normal en ajoutant des mots de liaison ?**

HIER EXCURSION SUPER VERSAILLES. CHÂTEAU. JARDINS. PARC. PAS TRIANON (FERMÉ POUR TRAVAUX). RETOUR MÉTRO EN PANNE. PRIS TAXI. CHER ! TOUT EST BIEN QUI FINIT BIEN !

Mes sons

Les consonnes simples et doubles

Règle → À l'intérieur d'un mot, elles se prononcent comme les consonnes simples. Dans les mots commençant par une voyelle + *nn / mm*, la première consonne forme une nasale avec la voyelle qui suit.

Écoute les phrases et écris le mot qui contient la consonne double.

Le genre des noms

Rappel → Indices de détermination du genre des noms. Le mot se termine par :
- le son d'une voyelle → masculin (pain, menu...)
- le son d'une consonne → féminin (viande, carotte...)
- les sons [i], [y], [u] → avec la lettre *e* finale : féminin (rue, Italie...) ; avec une autre lettre finale : masculin (riz, bout...) ;
- le son d'une consonne et sans *e* final → masculin (sac, dessert...).

Noms composés → la terminaison du mot indique le genre (idem).

Écoute et écris les mots avec l'article masculin ou féminin.

Rappel : oppositions [e] et [ɛ]

Les sons [e] et [ɛ] peuvent avoir plusieurs graphies : l'accent aigu, grave ou circonflexe, le tréma.

Graphie [e] : *es, est, ez, er, ers, é, et.*
Graphie [ɛ] : *ai, è, et, es, ê, ei, ë.*

La conjonction de coordination *et* se prononce [e] mais *et* en fin de mot se prononce [ɛ].

Attention : Faites bien la différence entre la voyelle ouverte (terminée par un son de voyelle) et la voyelle fermée.

Écoute et mets l'accent aigu, grave, circonflexe ou le tréma.

1 Les fetes de Noel ; **2** La meme journee ; **3** Le mel de Stephanie ; **4** J'ai mange des crepes ; **5** Cathy etudie dans une universite à Paris ; **6** Mon copain a un air drôle et il porte des vetements classiques ; **7** Elle est tetue mais genereuse.

Je découvre la... production orale

QUI ? Le candidat (seul) et l'examinateur. = **Épreuve individuelle.**

QUOI ? **Parler en français.**

COMMENT ? 1 épreuve = **3 exercices**

SANS PRÉPARATION !

1 — Un dialogue

L'examinateur me pose des questions.

Je me présente, je parle de moi, de ma famille, de mes goûts...

2 — Un monologue

Je parle de ma vie quotidienne (les vacances, la famille, le temps libre...).

3 — Un jeu de rôle

Je joue une **scène de la vie quotidienne.**

Quelquefois, j'utilise des **documents**.

La B.D. du DELF

Je lis et je comprends

Je **choisis mon sujet** (pour la 2ème et pour la 3ème partie) ; l'examinateur me donne les **documents** de l'examen.

Je prépare

(la 2ème et la 3ème partie)

J'ai 10 minutes.
Je peux **prendre des notes**.

Je passe l'oral

À moi de parler !

Exercice 

Entretien dirigé

1 Le candidat doit se présenter. Imagine ce qu'il dit à l'examinateur.
2 Imagine les questions que pose l'examinateur pour l'aider.
3 À ton tour de te présenter ! Joue la scène avec un camarade (qui joue le rôle de l'examinateur)

Exercice 

Monologue suivi

SUJET 1
Parlez du lieu où vous vivez. Dites ce que vous aimez.

SUJET 2
Décrivez votre école, votre classe.

1 Que dit le candidat ? Imagine !
2 À ton tour ! Choisis un sujet et… exprime-toi !

Exercice 

Exercice en interaction

SUJET 1 → Une fête

Vous êtes en France chez votre correspondant(e). Il/elle veut organiser une fête : vous en discutez avec elle/lui. *[L'examinateur joue le rôle du/de la correspondant(e)]*

SUJET 2 → Chez le médecin

Vous êtes en France et vous êtes malade. Vous allez chez le médecin, vous lui expliquez quel est votre problème (comment ça a commencé, ce que vous ressentez etc…).

Vous lui demandez ce que vous devez faire (médicaments à prendre, repos etc…). *[L'examinateur joue le rôle du médecin]*

1 À ton tour ! Choisis un sujet et joue la scène avec un(e) camarade.

Je parle de moi et des autres

1 Être ou ne pas être ? Lis le texte.

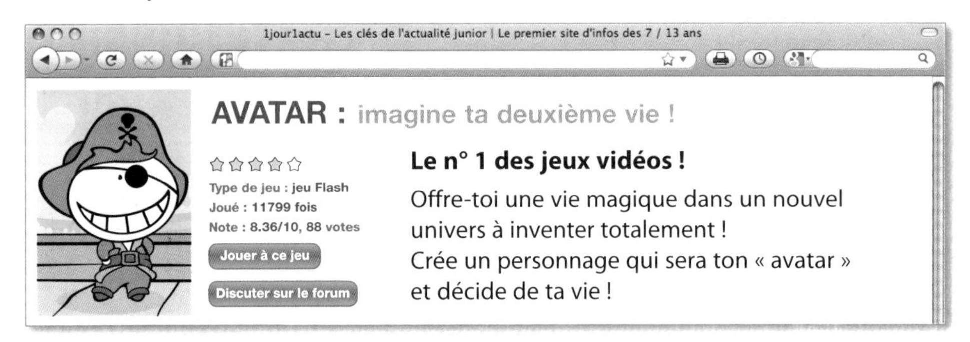

a Tu décides de jouer et tu crées ton avatar ! Invente ton personnage (tu peux préparer une fiche où tu noteras toutes les informations que tu choisis).

b Présente ton personnage !

2 Voici d'autres personnages de « Seconde vie ». Associie chaque dessin à une description.

A. Omar
Il est plutôt petit et très musclé. Il a des yeux noirs, des cheveux frisés et il porte toujours des tenues sportives (jean, tee-shirt).

B. Benoît
Grand et maigre, il porte de grosses lunettes et il a l'air distrait. Il sourit tout le temps !

C. Fang
Elle est très belle, avec de longs cheveux noirs et un nez parfait ! Elle est grande et s'habille à la mode. Elle ressemble à une actrice de cinéma !

D. Solveig
Elle est blonde et mince. Elle a les yeux bleus. Elle a l'air très sérieux et elle s'habille de manière classique.

3 Paraître... Regarde ces photos.

a À quoi ressembles-tu dans ta « seconde vie » ?

- Propose une description physique de ton avatar (taille, stature, cheveux, yeux, signes particuliers...).
- Dis comment il/elle est habillé(e).

b Demande à un camarade de classe de présenter son avatar. Choisis qui tu veux interroger !

MES MOTS

Les indispensables...

une robe
un jean
un pull
un blouson
une casquette
un maillot de bain
une paire de baskets
un tee-shirt
une jupe
un survêtement (type jogging)

4 Pour toi le plus important c'est...

Je préfère...
Il vaut mieux...

a Réponds en indiquant ta préférence par un numéro (1= le plus important, 4 = le moins important).

- ☐ être habillé(e) à la mode, soigner son look.
- ☐ être original(e) et ne ressembler à personne.
- ☐ avoir l'air sympathique.
- ☐ tout faire pour être beau / belle.

b Demande à ton voisin comment il a répondu !

5 Fais le test et compare tes réponses avec celles de tes camarades.

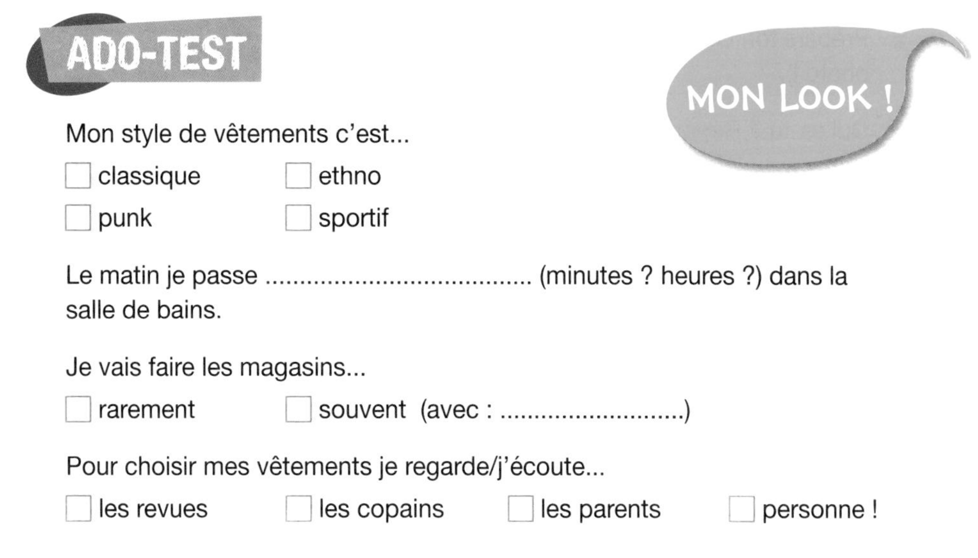

ADO-TEST

MON LOOK !

Mon style de vêtements c'est...

☐ classique ☐ ethno
☐ punk ☐ sportif

Le matin je passe .... (minutes ? heures ?) dans la salle de bains.

Je vais faire les magasins...

☐ rarement ☐ souvent (avec : ....)

Pour choisir mes vêtements je regarde/j'écoute...

☐ les revues ☐ les copains ☐ les parents ☐ personne !

MES MOTS

Qui suis-je ?

une description

un portrait (physique, moral)

une biographie

un curriculum vitae

6 Curriculum Vitae.

a Voici le C.V. d'une personnalité de l'actualité. Propose une description physique de cette personnalité, puis fais sa biographie en t'aidant des indications proposées.

Curriculum Vitae

Profession	Première dame de France
Nom	Bruni
Prénom	Carla
Date de naissance	23 décembre 1967
Lieu de naissance	Turin (Italie)
Nationalité	italienne (de naissance), française (depuis 2008)
Études	écoles privées en Suisse, puis Faculté d'architecture La Sorbonne (ne termine pas)
Langues	français, anglais, italien, allemand
1986-1998	carrière de mannequin international (Christian Dior, Yves Saint-Laurent, Chanel, Versace...)
1998 (à partir de)	carrière musicale comme auteure-compositeure et chanteuse (3 albums enregistrés)
février 2008	mariage avec le Président de la République française Nicolas Sarkozy

b Choisis une personnalité de ton pays ou un personnage de l'actualité que tu trouves particulièrement intéressant et présente-le. Explique pourquoi tu l'as choisi.

c Fais un sondage dans ta classe : qui est la personnalité la plus populaire parmi tes camarades (chanteur/-teuse, acteur/-trice, sportif/-tive, homme/femme d'État...) ?

7 Mon C.V.

a Prépare ton C.V. sur le modèle de celui de Carla Bruni (tu peux ajouter une photo !).

b Qui es-tu ? Réponds aux questions de tes camarades !

DELF en poche !

Parler de soi, c'est...

✓ être capable de **se présenter rapidement**, sans préparation, en répondant à des **questions simples** : c'est l'exercice 1 ;

✓ pouvoir parler d'un **thème familier** de la vie quotidienne (l'école, les amis...) : c'est l'exercice 2 (tu tires 2 sujets au sort, tu en choisis 1 et tu as quelques minutes pour préparer).

8 Ces jeunes sont inscrits sur un forum Internet. Ils se présentent.

a Trouve un (ou plusieurs) adjectif(s) pour décrire la personnalité de ces adolescents.

b Interroge tes camarades : quel est l'adolescent le plus sympathique ? Le plus antipathique ?

c Lequel (laquelle) pourrait devenir ton ami(e) ? Pourquoi ? Il (elle) te ressemble ou il (elle) est très différent(e) de toi ?

9 Amitiés.

a As-tu beaucoup d'amis ? Parle de ton/ta meilleur(e) ami(e). Quelle est sa plus grande qualité ? Son pire défaut ?

- Raconte comment vous vous êtes rencontré(e)s.
- Donne 3 adjectifs pour le/la décrire.
- Dis 3 choses que tu peux faire avec lui/elle.

b Et toi, comment es-tu ? Demande à tes camarades de faire ton portrait en 3 adjectifs !

MÉMO

Le (la) plus/moins important(e)

Le (la) meilleur(e) / le (la) pire

MES MOTS

Moi, je...

Moi aussi je suis...

Je ressemble à...

J'ai un caractère très différent de...

Je parle de mon environnement

1 Le futur, c'est l'écoville ? Lis ce texte.

1jour1actu – Les clés de l'actualité junior | Le premier site d'infos des 7 / 13 ans

1jour1actu! Le site d'info des 7 / 13 ans

MILAN

MONDE · CULTURE · FRANCE · INSOLITE · SCIENCE · SPORT · PLANÈTE · LES CLÉS DE L'ACTU

BIENVENUS À DONGTAN, VILLE 100 % ÉCOLOGIQUE !

La Chine a un projet extraordinaire : construire la première « écoville » !
À Dongtan près de Shanghai, il n'y a pas de voitures mais seulement des transports en commun propres. Partout, dans les rues, le long des avenues, autour des places, aux carrefours, il y a des espaces verts (10 fois plus que dans une ville normale) : priorité aux piétons ! Les immeubles ne peuvent pas avoir plus de 8 étages et tous les bâtiments sont recouverts de gazon (pour les isoler).
Ici, les déchets sont recyclés. Et la ville produit toute son électricité grâce à des énergies renouvelables...

a Ta ville ressemble-t-elle à Dongtan ? Remplis la fiche et présente le lieu où tu habites.

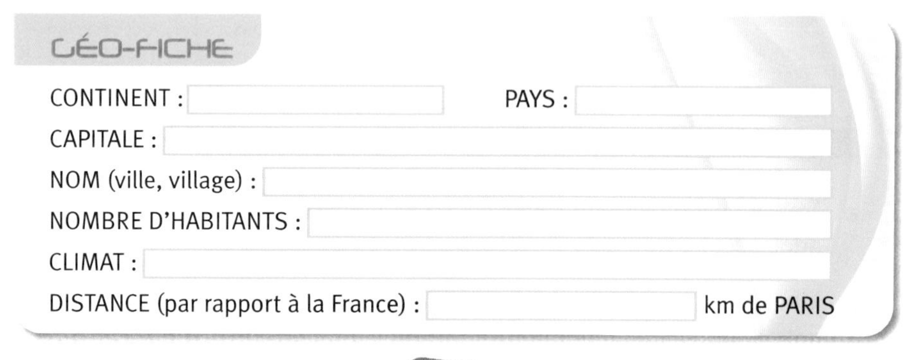

GÉO-FICHE

CONTINENT : ______ PAYS : ______
CAPITALE : ______
NOM (ville, village) : ______
NOMBRE D'HABITANTS : ______
CLIMAT : ______
DISTANCE (par rapport à la France) : ______ km de PARIS

b Sur le modèle du texte que tu as lu, parle de ta ville !

c Quelles sont les choses les plus belles de l'endroit où tu habites ? Et les plus grands problèmes ?

d Aimes-tu l'endroit où tu habites ? Pourrais-tu accepter de déménager ? Où voudrais-tu vivre ?

2 La qualité de la vie, qu'est-ce que c'est ? Qu'est-ce qui est important pour « vivre bien » ? Choisis un(e) camarade de ta classe et pose-lui la question !

Les espaces verts ? Les services ? L'ambiance ? Les sorties ? Les loisirs ?

3 Chez moi.

BEL APPARTEMENT	MAISON INDIVIDUELLE	PAVILLON F5
Immeuble moderne, centre ville F3, de luxe, tout confort ; ascenseur, balcon.	Construction ancienne (prévoir travaux). Village traditionnel. Calme, nature.	Banlieue agréable Grand jardin Transports Tous services

a Tu habites dans un appartement ou une maison ? Comment est ton logement ? Décris-le (tu peux faire un plan et le présenter à la classe).

b Demande à ton voisin où il habite, et comment on fait pour arriver chez lui. Puis explique-lui comment aller chez toi.

c Un(e) élève français(e) est en visite dans ton école. Pose-lui des questions sur l'endroit où il (elle) vit *(un(e) élève de la classe joue le rôle de l'élève français).*

4 Maintenant fais le test !

MA CHAMBRE

1 J'ai une chambre pour moi tout(e) seul(e)
☐ OUI ☐ NON
si OUI, j'ai ma chambre personnelle depuis ....
si NON, je partage ma chambre avec ....

2 Mes parents ont le droit d'entrer dans ma chambre ☐ OUI ☐ NON

3 Dans ma chambre il y a... (coche les objets que tu as mis dans ta chambre)

☐ des livres
☐ un ordinateur
☐ une chaîne stéréo/hi fi
☐ une console de jeux
☐ une télévision
☐ des bibelots
☐ un miroir
☐ des posters

a Réponds au questionnaire.

b Demande à un camarade de classe comment est sa chambre en lui posant les questions du test.

5 Ma journée.

1 À cette heure-là, qu'est-ce que tu fais ? Demande-le à ton voisin !

2 Avec tes camarades, faites la liste de toutes les activités que l'on peut faire dans une journée !

3 Quelle est ta journée préférée dans la semaine ? Pourquoi ?

Mes mots

Le temps passe...

Je suis toujours en retard !

J'essaie d'être à l'heure.

J'ai trop de choses à faire !

Je n'ai pas le temps (de...)

Je passe mon temps à...

MES MOTS

La famille

nombreuse
traditionnelle
recomposée
monoparentale

un mariage
un divorce
un PACS

6 La famille

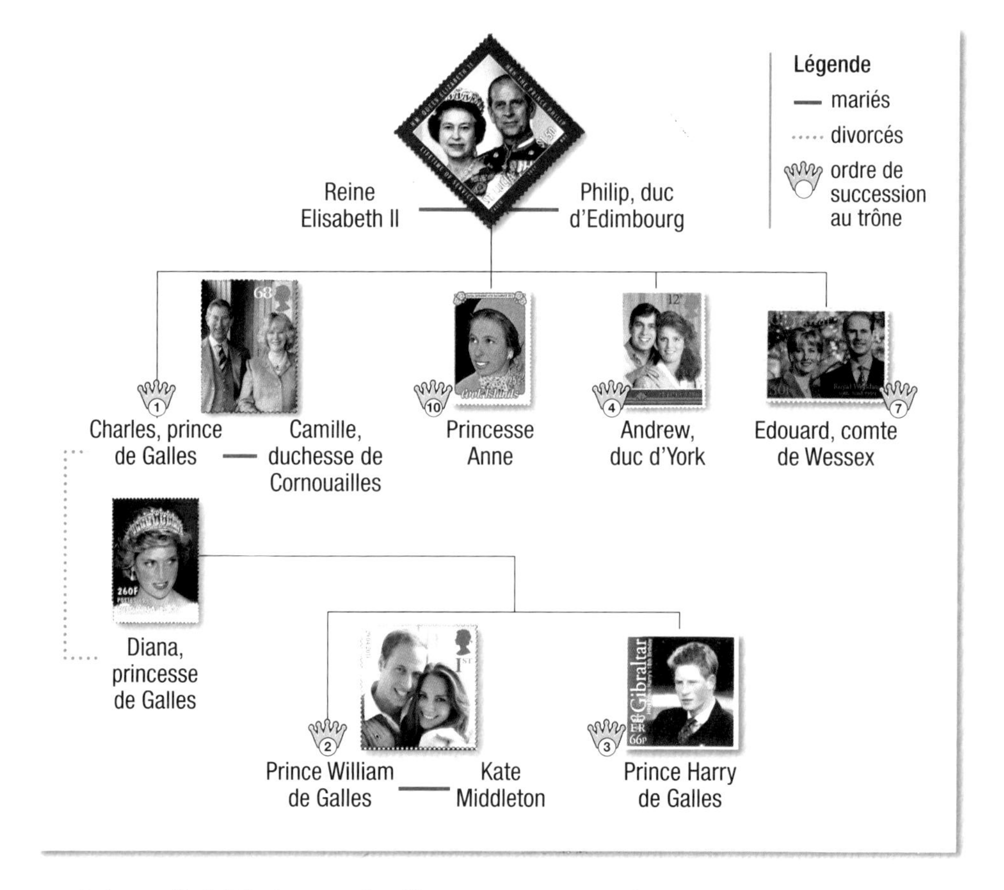

a Qui sont-ils ? Décris cette famille avec tes camarades.

b As-tu déjà fait un arbre généalogique ? Pourquoi ?

c Prépare 3 questions que tu veux poser à un(e) camarade sur sa famille, puis interroge qui tu veux !

Plus jeune ?
Très âgé ?
Sœur ?

7 En famille...

a Trouve 3 adjectifs pour décrire tes parents.

b Tous ensemble, faites le portrait du père idéal et de la mère idéale.

- Quelles sont leurs qualités principales ?
- Comment sont-ils avec leurs enfants ? Que font-ils pour eux, avec eux ?

c Tu t'entends bien avec tes parents ?

- Interroge tes camarades : pour quelle(s) raison(s) se disputent-ils avec leurs parents ? Faites une liste !
- Choisis une (bonne) raison de te disputer et... joue la scène avec un camarade ! (Il joue le rôle de ton père/ta mère... puis inversez les rôles !)

d Il y a des journées spéciales dans l'année où toute ta famille se réunit ? Lesquelles ? Qu'est-ce que vous faites ? Quelle est l'ambiance entre les différentes générations ?

e Pour toi, la famille c'est très important ? Pourrais-tu vivre loin de ta famille ?

MÉMO

Attention aux **verbes pronominaux** !
Je **me** dispute souvent.
On **s**'entend bien !

Je parle de mon quotidien

1 **L'école.**

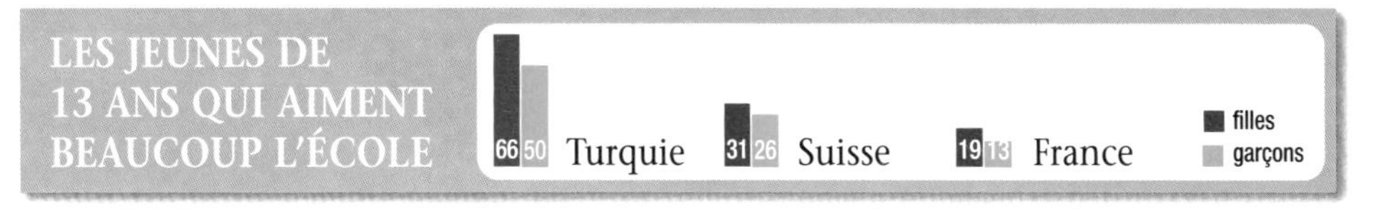

a Ces élèves donnent leur opinion sur leur école. Qui aime beaucoup l'école ?

1 Je trouve les cours vraiment intéressants, on apprend plein de choses.
2 Les profs ne nous écoutent pas, ils sont souvent injustes.
3 Toujours rester chez soi, c'est ennuyeux ! À l'école on peut discuter.
4 Je m'ennuie très souvent.
5 C'est difficile, on a trop de devoirs.
6 J'ai des tas de copains ! Je suis content de les voir tous les jours.

b Tu es d'accord avec quelle phrase ? Tu aimes l'école ? Pour toi l'école c'est important ?

MES MOTS

En classe

motivé(e)
turbulent(e)
bavard(e)
attentif(**ve**)
passionné(e)
travailleur(**se**)
sérieux(**se**)
(à toi de compléter...)

Je travaille beaucoup !
Je dois réviser/faire mes devoirs.
Je prépare un exposé sur...

2 **La classe et l'emploi du temps. Fais le test !**

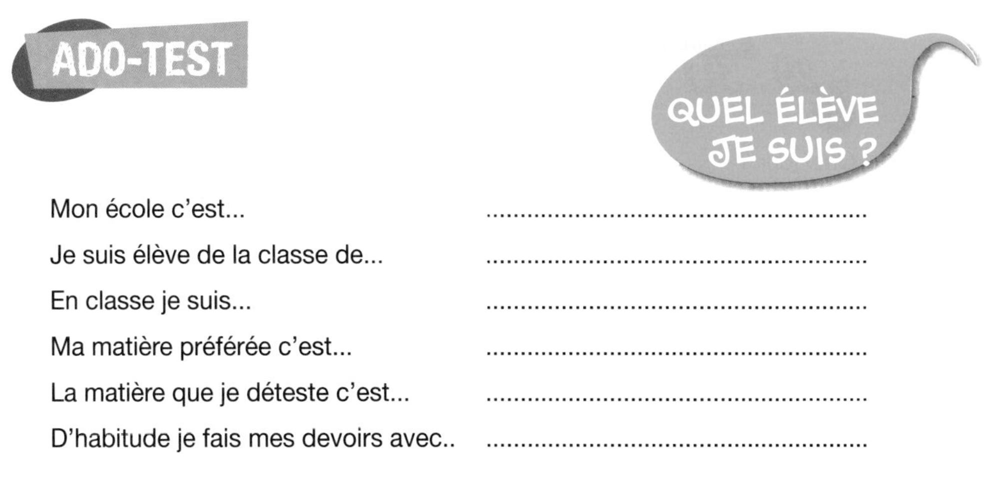

Mon école c'est... ....
Je suis élève de la classe de... ....
En classe je suis... ....
Ma matière préférée c'est... ....
La matière que je déteste c'est... ....
D'habitude je fais mes devoirs avec.. ....

a Réponds au questionnaire.

b Avec tes camarades, prépare un plan de classe : précise le nombre d'élèves (Combien de filles ? Et de garçons ?), puis indique le nom et la place de chacun.

c Complète le plan en indiquant ta matière préférée. Puis pose la question à un camarade. Quand il a répondu, il interroge à son tour un élève de son choix !

d Le plan de classe est complet ? Alors tu peux présenter ta classe !

- Indique la matière (ou les matières) qui plaît (plaisent) beaucoup aux élèves.
- Comment est ta classe ? Sympathique ? Difficile ? Problématique ?

3 Les sorties.

a Demande à tes camarades ce qu'ils font quand ils ne sont pas à l'école. Pour les interroger, utilise les mots-clefs ! Tu peux aussi trouver d'autres mots-clefs !

b La sortie idéale c'est...

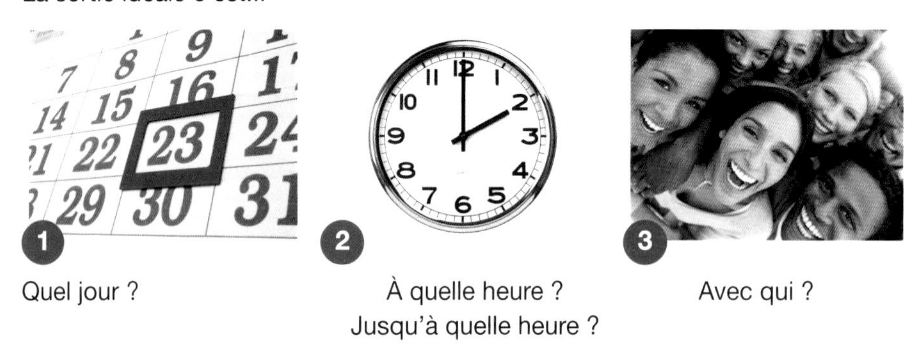

1 Quel jour ?

2 À quelle heure ? Jusqu'à quelle heure ?

3 Avec qui ?

1 Pose la question à ton voisin.

2 À ton tour ! Explique comment tu organises tes sorties.

4 **Chez toi, que fais-tu pour te distraire ? Fais un sondage dans la classe : demande à tes camarades de choisir 3 activités dans la liste. Quel est le résultat du sondage ?**

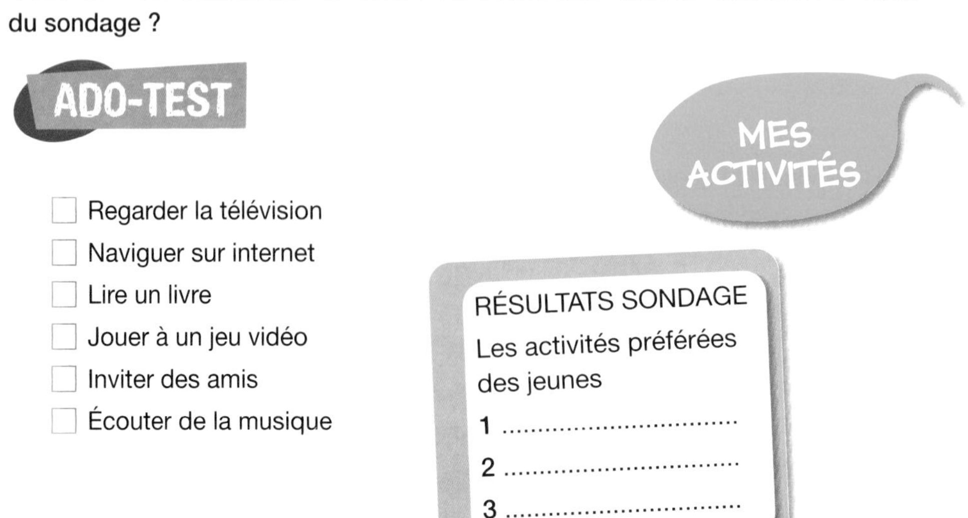

- ☐ Regarder la télévision
- ☐ Naviguer sur internet
- ☐ Lire un livre
- ☐ Jouer à un jeu vidéo
- ☐ Inviter des amis
- ☐ Écouter de la musique

RÉSULTATS SONDAGE
Les activités préférées des jeunes

1 ....

2 ....

3 ....

MES MOTS

Les goûts

J'aime bien
Ça me plaît beaucoup
J'ai l'habitude de...
Je ne suis pas fan (de)
p. 40

C'est...
- nul !
- ennuyeux
- (pas, très) intéressant
- génial / super / top
- *(à compléter...)*

Je propose, je négocie

1 Julie et Catherine cherchent une activité pour cet après-midi.

a Peux-tu remettre les phrases du dialogue dans l'ordre ? Numérote chaque phrase de 1 à 4 pour chaque personne.

Julie

- ☐ Il ne fait pas très beau, mais il ne pleut pas !
- ☐ On peut aller faire une promenade. Qu'est-ce que tu en penses ?
- ☐ Qu'est-ce qu'on fait cet après-midi ?
- ☐ On va au parc ? On peut se promener dans la nature, c'est super !

Catherine

- ☐ Où veux-tu aller ?
- ☐ Une promenade ? Mais il ne fait pas beau !
- ☐ Ah non, pas au parc ! Cette promenade, je la connais et je n'ai pas envie de marcher.
- ☐ Je ne sais pas... Tu as des idées ?

b Contrôle tes réponses avec ton(ta) voisin(e). Ensemble, préparez le dialogue pour le jouer devant la classe.

c Imagine une suite au dialogue ! Au choix :

- Julie réussit à convaincre Catherine d'aller faire une promenade dans le parc ;
- Catherine propose une autre activité.

2 À ton tour ! Joue les scènes proposées.

a (*à deux*) Tu es en France chez ton (ta) correspondant(e) français(e) pour quelques jours. Il (elle) te propose différentes activités et vous décidez ensemble du programme de ton séjour.

b (*à plusieurs*) Vous décidez d'inviter des amis !

- Vous leur proposez une activité.
- Vous précisez la date et l'heure du rendez-vous.

Mes mots

Proposer

Tu veux venir/aller... ?
Tu m'accompagnes... ?
Et si on allait/faisait.... ?
On va... ?
Qu'est-ce que tu en dis/penses si... ?
Rendez-vous à...

Accepter

C'est une super idée !
Je suis d'accord !
Pourquoi pas ?

Refuser

Ah non alors !
Pas question !
Je n'ai pas envie.
Tu plaisantes ?
Ça ne m'intéresse pas.

3 **Quelle est la meilleure excuse pour refuser une invitation ?**

a Fais une phrase à partir de ces mots-clefs et réponds au camarade qui t'invite ! (l'exercice se joue à deux !)

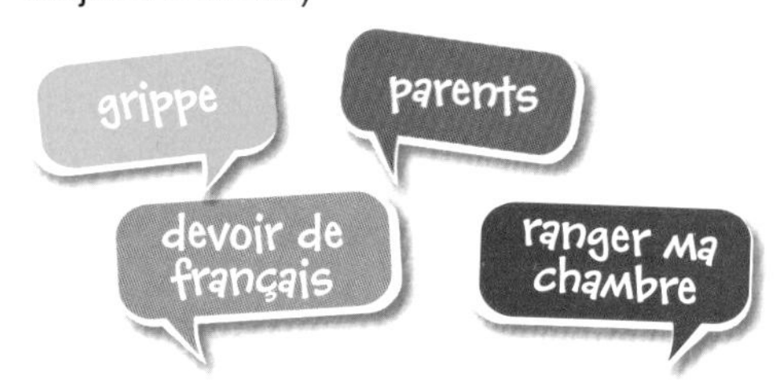

b Trouve d'autres « bonnes excuses » !

4 **Tu es en France chez ton ami(e) français(e) et ce soir tu veux regarder la télévision. Vous consultez les programmes et vous choisissez ensemble ce que vous allez regarder.**

DELF en poche !

Faire un jeu de rôle, c'est...

✓ **comprendre le sujet** (= bien lire la consigne). On peut me demander de :
- programmer, organiser un événement avec mon interlocuteur, prendre une décision et résoudre un problème simple **ensemble** ;
- demander des informations et des précisions pour faire un achat ou une réservation.

✓ **bien utiliser son temps de préparation**
- préparer les questions à poser, les informations à donner ;
- si on me donne des **documents**, savoir utiliser les informations disponibles !

Je demande des informations, je prends une décision

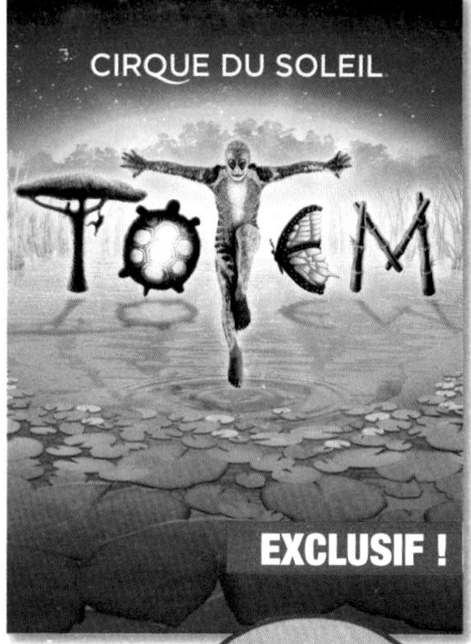

Mes mots

Sortir

la billetterie, un billet
une réduction
un tarif spécial jeunes
une séance (de cinéma)
un spectacle/une place

1 Tu es en France et tu veux aller voir le spectacle. Tu demandes des informations à la billetterie.

a Prépare le dialogue !

Pour chaque « personnage », imagine :

- les questions à poser ;
- les informations à donner.

Mémo

Poser des questions

p. 78

b Joue la scène avec un(e) camarade ! N'oublie pas de saluer et de remercier !

c Tu veux inviter un(e) ami(e) :

- tu lui expliques pourquoi tu veux aller voir le spectacle ;
- tu lui proposes de t'accompagner ;
- tu réponds à ses questions avec les informations que tu as obtenues à la billetterie.

Jouez la scène à deux !

DELF en poche !

Faire un jeu de rôle, c'est...

✓ comprendre à qui je parle (= bien lire la consigne) :

- si c'est une personne que je connais, le dialogue est **amical** (je peux dire « tu ») ;
- si je ne connais pas mon interlocuteur, je dois respecter **les règles de la politesse française** et du dialogue **formel** (vouvoyer, saluer, remercier).

Attention ! À l'examen pour dialoguer avec l'examinateur je respecte les règles du dialogue formel.

2 Un mariage. Tu es en France et tu es invité(e) au mariage du frère de ton/ta correspondant(e). Tu vas dans un magasin de vêtements pour trouver une tenue élégante.

a Choisis ton rôle (le/la client(e) ? le/la vendeur/vendeuse ?) et prépare le dialogue.

b Demande à un(e) camarade de jouer la scène avec toi.

c À la fin de la scène vous inversez les rôles et vous rejouez la scène en changeant le dialogue !

3 **Pour préparer le DELF A2, tu veux suivre un cours de français intensif. Tu demandes des renseignements à la responsable de l'Alliance Française de ta ville.**

- Tu précises pourquoi tu veux t'inscrire.
- Tu poses des questions sur le contenu et l'organisation des cours (les groupes, les horaires...).
- Tu fais ton choix et tu t'inscris.

Joue la scène avec un camarade.

4 **Tu es dans un grand magasin à Paris et tu cherches un cadeau pour ta mère mais tu ne sais pas quoi choisir. Tu demandes conseil au vendeur/à la vendeuse.**

Pour être certain(e) de ne pas te tromper...

- Tu indiques les goûts de ta mère, ce qu'elle aime et ce qu'elle n'aime pas.
- Tu précises quel est ton budget.
- Tu fais ton choix.

Mes mots

Hésiter

Je ne sais pas (quoi choisir).

Je n'arrive pas à me décider.

C'est dur de choisir.

Accepter

C'est parfait.

Ça me convient.

Je (le/la/les) prends.

Refuser

Ça ne me plaît (convient) pas.

Je vais réfléchir.

5 Au restaurant. Tu es dans un restaurant en France avec des amis qui ne parlent pas français. Tu demandes le menu. Tu demandes des précisions au serveur et tu choisis (à jouer à deux).

6 Je vais en France ! Tu vas en vacances chez ton ami(e) français(e). Pour faire ta valise, tu demandes des conseils à l'assistant(e) de français de ton école (à jouer à deux).

7 Ma chambre. Tu veux changer complètement le décor et l'ameublement de ta chambre. Tu discutes avec ton ami(e) français(e) pour avoir des idées et des conseils (à jouer à deux).

8 Un animal. Tu es en vacances chez ton/ta correspondant(e) français(e). Il/elle veut un chien depuis longtemps et ses parents ont enfin dit OUI. Tu discutes avec lui/elle pour tout savoir sur le futur chien de ton ami(e) (à jouer à deux).

9 Un week-end à Londres. Tu es à Paris mais tu veux rejoindre un(e) ami(e) à Londres pour le week-end. Tu vas dans une agence de voyages pour avoir des informations. Joue la scène à deux (un(e) camarade joue le rôle de l'employé(e) de l'agence).

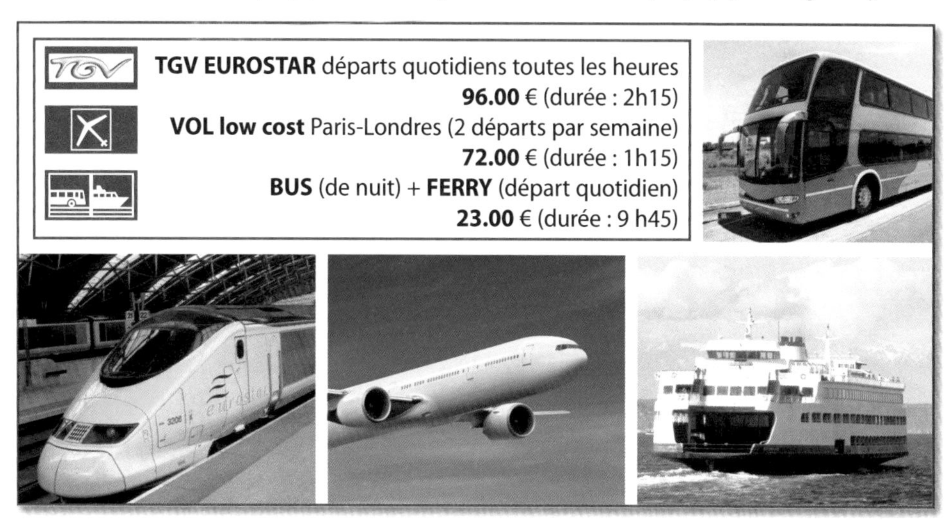

Je m'entraîne à la... production orale

Cette épreuve de production orale comporte 3 parties.
Elle dure de 6 à 8 minutes. La première partie se déroule sans préparation.
Vous avez 10 minutes pour préparer les parties 2 et 3 (monologue suivi et exercice en interaction).
Les 3 parties s'enchaînent.

ENTRETIEN DIRIGÉ

(1 minute 30 environ)

Après avoir salué votre examinateur, vous vous présentez (vous parlez de vous, de votre famille, de vos amis, de vos études, de vos goûts, des animaux que vous aimez, etc.). L'examinateur vous posera des questions complémentaires.

MONOLOGUE SUIVI

(2 minutes environ)

Vous tirez au sort 2 sujets et vous en choisissez 1. Vous vous exprimez sur le sujet. L'examinateur peut ensuite vous poser des questions pour vous aider.

SUJET 1

Vous sortez souvent avec vos amis ? Qu'est-ce que vous aimez faire? Où allez-vous ?

SUJET 2

Quand vous êtes à la maison, que faites-vous ? Quelles sont vos activités ?

EXERCICE EN INTERACTION

(3 à 4 minutes environ)

Deux sujets au choix proposés par l'examinateur. Vous en choisissez un.

Vous devez simuler un dialogue avec l'examinateur afin de résoudre une situation de la vie quotidienne. Vous montrez que vous êtes capable de saluer et d'utiliser des règles de politesse.

SUJET 1

Vous êtes en vacances chez votre correspondant(e). Il vous demande ce que vous voulez faire pendant le week-end. Vous lui posez des questions sur les activités possibles (visites, promenades, curiosités...). Vous préparez un programme ensemble. *(L'examinateur joue le rôle de votre correspondant(e))*

SUJET 2

Vous êtes en France et voulez acheter deux billets pour la comédie musicale « Mamma Mia ». À la billetterie, vous choisissez le jour, l'horaire du spectacle et les places. Puis vous demandez le prix et vous payez. L'employé(e) vous donne tous les renseignements. *(L'examinateur joue le rôle de l'employé(e))*

Document pour la 3ème Partie

LE MUSICAL AVEC LES SUCCÈS DU GROUPE ABBA ENFIN DANS VOTRE VILLE !

Du 13 au 25 novembre
au Palais des Congrès

Représentations
du mardi au dimanche

HORAIRES

Du mardi au vendredi à 20 heures
Samedi à 15 heures et à 20 heures
Dimanche à 15 heures

TARIFS

Catégorie 1 (parterre centre) : € 75, 00
Catégorie 2 (gradins) : € 50,00
Prix spécial jeunes
(samedi et dimanche à 15heures) : € 35,00

Attention
à la politesse !
On dit « VOUS »
à l'examinateur !

Ma grille

	Je sais faire... ?	Note max.	Ma note
1ère partie	Je sais me présenter. Je sais répondre à des questions simples.	1 3	
2ème partie	Je sais présenter un événement, une activité, un projet, un lieu.	5	
3ème partie	Je sais me débrouiller dans une situation simple (entrer en contact avec quelqu'un, donner et demander des informations). Je sais saluer, utiliser des règles de politesse.	4 2	
Pour les 3 parties	Je sais me faire comprendre avec mes mots. Je fais peu de fautes de grammaire. Je prononce bien.	3 4 3	
	Total pour l'épreuve de production orale	/25	

Tu es prêt pour l'examen ?

C'est difficile ? Coche (✗) la case de ton choix :

- 🙂 tu as peu de difficultés
- 😐 tu as quelques difficultés
- 🙁 tu as beaucoup de difficultés

		🙂	😐	🙁
Je peux				
	parler de moi, des gens que je connais.			
	parler de ma vie quotidienne.			
	parler de mes goûts, dire ce qui me plaît et ne me plaît pas.			
	jouer une petite scène de la vie quotidienne.			
Je sais				
	me présenter, décrire mon environnement et ma vie quotidienne.			
	présenter ma famille et mes amis (et faire leur portrait).			
	faire la différence entre un dialogue amical ou formel.			
	poser des questions simples.			
	répondre à des questions simples.			
Je connais (les mots pour...)				
	décrire une personne, ses qualités et ses défauts, ses goûts et ses préférences.			
	décrire un lieu, des activités, des situations de la vie quotidienne.			
	situer un événement dans le temps.			
	proposer, accepter, refuser.			
	demander et donner des informations.			
	saluer, remercier (les formules de politesse).			
	Total			

Mes résultats :
+ de 🙂 → **Bravo !**
+ de  → **Pas mal !**
+ de  → **Attention !**

Je le dis quand...

a Je n'arrive pas à me décider.

b Et si on allait... ?

c C'est une excellente idée !

d Mon frère ? Il est plus grand que moi.

e Je voudrais savoir...

1 ☐ je demande une information.
2 ☐ j'hésite.
3 ☐ j'accepte une proposition.
4 ☐ je propose quelque chose.
5 ☐ je parle de ma famille.

Ici… là-bas : destination les îles Kerguelen !

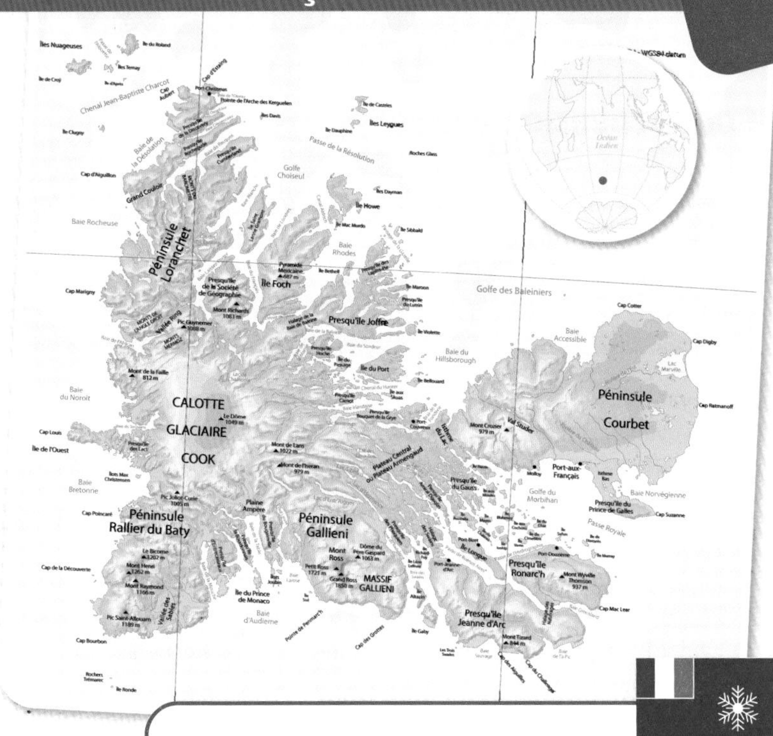

Compréhension de l'oral

49 MP3 *Vous écoutez la radio. Répondez aux questions.*

1 On annonce…
   a ☐ le début des vacances.
   b ☐ le départ d'une expédition scientifique.
   c ☐ la découverte d'une île.

2 Les îles Kerguelen sont situées…
   a ☐ au sud de l'océan indien.
   b ☐ au nord de l'océan indien.
   c ☐ à l'est de l'océan indien.

3 Les Kerguelen sont plus petites que…

   ……………………………………………………………

4 Quel temps fait-il aux îles Kerguelen ?

a b c

5 Quel est le mois le plus chaud de l'année ?

   ……………………………………………………………

6 Qui habite aux îles Kerguelen ?
   a ……………………………………………………………
   b ……………………………………………………………

Le Capitaine Yves Joseph de Kerguelen de Trémarec.

La France c'est…

Les territoires d'outremer comme **les Terres Australes et Antarctiques Françaises** (les TAAF), des régions qui sont françaises… et vraiment très loin de la métropole.

Population : env. 120 habitants

Superficie : 7215 km^2

Capitale : Port-aux-Français

Climat : 

2 mots de marin !

à bâbord : à gauche
à tribord : à droite

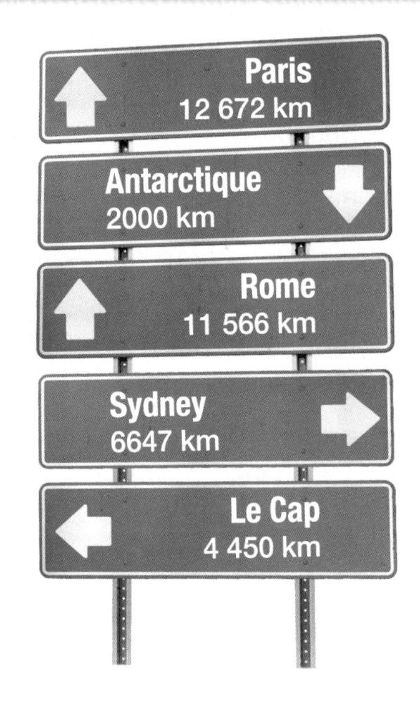

Compréhension des écrits

Votre ami Daniel est biologiste à Paris, mais cette année il part en expédition aux Îles Kerguelen. Vous lisez les documents qu'il a reçus pour préparer son départ.

Votre séjour aux îles Kerguelen

Voyage
Le voyage jusqu'aux îles Kerguelen se fait en bateau depuis l'île de la Réunion. Si vous habitez en métropole, vous devrez prendre un vol jusqu'à la Réunion, puis vous voyagerez par bateau jusqu'à destination.

Bagages
Le poids des bagages transportés par avion dépend de chaque compagnie aérienne. (Exemple : Corsair 40 kilos + 5 kilos bagage cabine). Le poids des bagages transportés par bateau depuis la métropole est limité à 130 kg (à l'aller comme au retour). Rappel : le poids total de vos bagages ne doit jamais être supérieur à 150kg.
Date de livraison des bagages pour un départ (tous les bagages doivent être envoyés au Ministère des Affaires Etrangères (SDV Marseille / TRANSAQUAI – CO / MARSEILLE)
en avril : avant le 15 février.
en août : avant le 20 juin.
en décembre : avant le 1er octobre.

Précautions de santé à prendre avant un départ
Il est important de préparer votre séjour dans les Terres Australes. Une visite médicale est prévue pour tous 1 mois avant la date du départ. Il vous est aussi demandé de :
- fournir une carte de groupe sanguin ;
- vérifier le parfait état de vos dents pour éviter tout problème sur place.

Le travail aux Îles Kerguelen
Le travail dépend des conditions météorologiques. Il n'y a donc pas d'horaire régulier, surtout pour ceux dont l'activité se déroule à l'extérieur. Les périodes de repos peuvent être déplacées et il est possible de travailler les samedis, dimanches ou les jours fériés.

Répondez aux questions.

1 Pour arriver aux Kerguelen, comment Daniel voyagera-t-il ?

a ☐ En avion.
b ☐ En bateau.
c ☐ Avion + bateau.

2 Daniel peut emporter .... kg maximum de bagages.

3 Daniel part cet hiver. Ses bagages doivent être prêts pour quelle date ?

....

4 Avant de partir, que doit faire Daniel ?

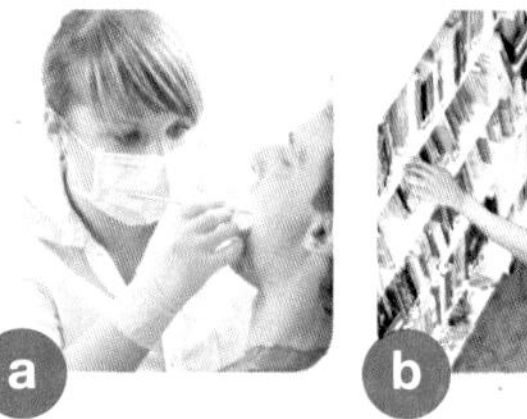
a

b

c

5 En raison des conditions météorologiques, les personnes qui travaillent aux Kerguelen...

a ☐ ont droit à plusieurs jours de repos dans la semaine.
b ☐ n'ont pas droit à des jours de repos.
c ☐ n'ont pas d'emploi du temps précis.

Production écrite

Vous consultez les programmes de télévision français en naviguant sur Internet. Vous écrivez un petit message à votre ami(e) français(e) pour lui conseiller de regarder l'émission et vous expliquez pourquoi. Vous lui précisez la date et l'heure de la transmission et le nom de la chaîne. Vous lui demandez de vous écrire pour donner ses impressions.

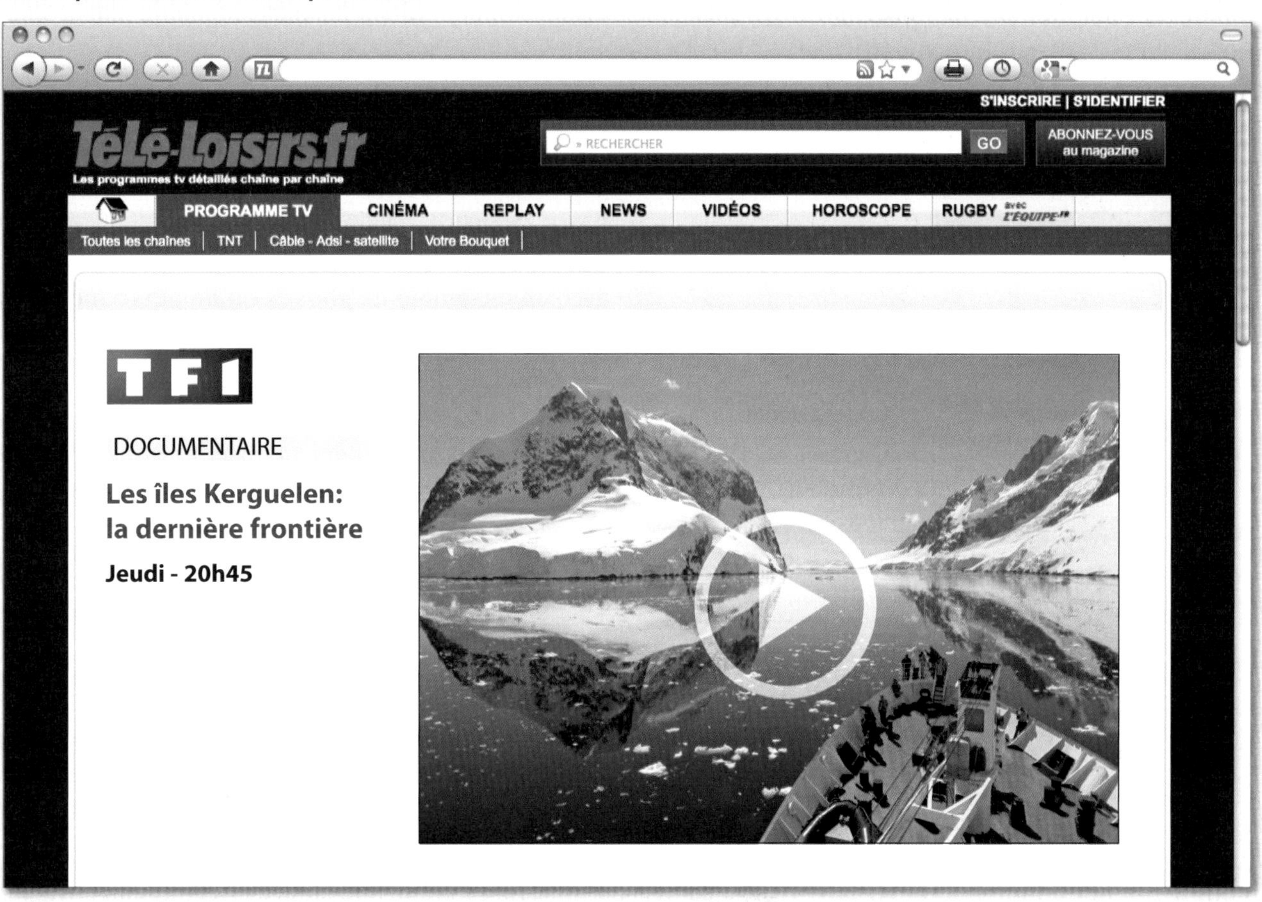

Production orale

1 **LA TÉLÉVISION**

Aimez-vous la télévision ? Avez-vous une télévision dans votre chambre ? Combien d'heures regardez-vous la télévision par jour / par semaine ? Quel(s) est/sont votre/vos programme(s) préféré(s) ?

2 **JEU DE RÔLE** (Les scènes sont à jouer à deux !)

SUJET 1 → Préparatifs

Vous avez participé au concours GRANDE AVENTURE et vous avez gagné un voyage aux Îles Kerguelen. Vous discutez avec votre ami(e) français(e) sur les produits à acheter avant de partir, et comment faire votre valise !

SUJET 2 → C'est la forme !

Vous voulez partir en pleine forme pour les Kerguelen ! Vous allez dans le club de sport le plus proche de chez vous pour demander des informations. Vous demandez la liste des cours, vous discutez des horaires, vous demandez des conseils et vous vous inscrivez.

GRAMM'EXPRESS

Les interrogatifs *quel* et *lequel*

Pour poser des questions, on utilise des **mots interrogatifs** (**p. 78**).

Pour poser une question sur une personne ou une chose, on utilise **l'adjectif interrogatif *quel***.

__Quelle__ est ton adresse ? __Quel__ âge as-tu ?

Quand on doit **faire un choix entre plusieurs** personnes ou plusieurs choses, on utilise **le pronom interrogatif *lequel***.

– *J'aime beaucoup cette robe dans la vitrine.*
– ***Laquelle*** *?*

– *Je voudrais un dessert s'il vous plaît.*
– ***Lequel*** *(= quel dessert ?) avez-vous choisi ?*

Lequel s'accorde en **genre et en nombre** avec le nom qu'il remplace dans la phrase.

	masculin	fémenin
singulier	lequel	laquelle
pluriel	lesquels	lesquelles

1 **Complète avec *quel*. Attention au féminin et au pluriel !**

1 J'ai rendez-vous avec Marc.
– À .... heure ?

2 Tu as .... projets pour le week-end ?

3 Tu viens au collège avec .... autobus, le 3 ou le 11 ?

4 Tu veux passer .... examen ?

5 Pour m'inscrire, je peux venir à .... horaires ?

2 **Complète les phrases avec *quel* ou *lequel*. Attention au féminin et au pluriel !**

1 – Tu me prêtes un livre pour les vacances, s'il te plaît ? – .... tu veux ?

2 – C'est .... jour aujourd'hui ?
– C'est dimanche.

3 – Mes amies viennent avec nous.
– .... ? Tes amies françaises ou japonaises ?

4 Mon frère s'est acheté une nouvelle voiture.
– Il a acheté .... modèle ?

5 Regarde la vitrine du pâtissier ! J'ai envie d'un gâteau.
– .... ? Une tarte ou bien un baba ?

Les degrés de l'adjectif

Pour comparer **2 choses** ou **2 personnes**, on emploie **le comparatif**.

plus / aussi / moins + adjectif + ***que***

Ma sœur est __plus âgée que__ moi.
Ma maison est __aussi grande que__ la tienne.
Marion est __moins sympathique que__ Catherine.

Attention aux irréguliers !
bon → meilleur *mauvais → pire*

Quand on compare **une chose ou une personne** avec **un ensemble de choses ou de personnes**, on emploie le **superlatif** avec **le plus**..., **le moins**... (+ *de*)

Je suis l'élève __le plus paresseux de__ la classe.
Ma maison est __la moins grande du__ quartier.

Attention aux irréguliers ! *le meilleur → le pire*

On peut aussi modifier l'**intensité** de l'adjectif:
- faible : *il est __peu__ aimable...*
- moyenne : *elle est __assez__ sympa / il est __plutôt__ timide*
- forte : *je suis __très__ content, je suis __complètement__ satisfait...*
- nulle : *je ne suis __pas du tout__ content / satisfait*

3 **Transforme les phrases suivantes pour qu'elles contiennent un comparatif ou un superlatif. Attention aux formes irrégulières !**

J'ai passé de bonnes vacances à Londres. > J'ai passé de meilleures vacances à Londres qu'à Paris (comp.) ou J'ai passé les meilleures vacances de ma vie à Londres ! (sup.)

1 Philippe est gourmand.
2 Tu es bon en mathématiques.
3 Elle est bête !
4 Dans ce bar ils font un bon café.
5 Céline est grande.
6 C'est un mauvais film !
7 L'exposition est intéressante cette année.
8 Cette robe est jolie.

4 **Complète les phrases de façon à modifier l'intensité de l'adjectif avec les mots suivants :** ***très, assez, pas du tout, plutôt, trop.***

1 Ma nièce (n') est .... satisfaite du nouvel ordinateur qu'elle a acheté.

2 Le professeur est .... mécontent de ses élèves : ils sont .... bavards !

3 Le collège de Jules est .... loin de chez lui. Il doit prendre deux bus.

4 Les vacances scolaires sont .... longues à Pâques.

5 Les invités sont .... contents de la merveilleuse soirée.

Le démonstratif *ce*

L'**adjectif démonstratif** s'emploie avec le nom de la chose ou de la personne qu'il sert à désigner, à montrer.

J'aime beaucoup ***ce*** *pull.*

J'ai pris ***cette*** *place pour le spectacle de samedi parce qu'elle était moins chère.*

Ce, comme tous les adjectifs, s'accorde en **genre et en nombre** avec le nom qu'il accompagne dans la phrase.

Attention ! Quand ***ce*** accompagne un **nom masculin qui commence par une voyelle** ou un *h* muet, il devient ***cet***.

	masculin	**féminin**
singulier	ce, cet	cette
pluriel	ces	

5 **Complète les phrases avec le démonstratif** ***ce*****. Attention aux accords !**

1 Je peux essayer .... robe, Madame ?

2 – Regarde, c'est un ami de papa ! – Qui ? – .... homme de l'autre côté de la rue !

3 .... année, tu as bien travaillé à l'école ! On va fêter ça.

4 .... exercices de grammaire sont vraiment trop difficiles !

5 J'aime beaucoup .... film. Les acteurs sont excellents.

Mes sons

Prononciation du participe passé des verbes en *er* : [e]

Graphie : *é* ; Attention → Prononciation [e]

Écoute et répète.

Les sons [o] et [ɔ]

Graphie [o] fermé : *o, ô, ot, os, au, aud, aut, aux, eau, eaux.*

Graphie [ɔ] ouvert : *o* + consonne sonore, *au* + consonne sonore.

Fais bien la différence entre la voyelle ouverte et la voyelle fermée !

Écoute et coche quand tu entends [o] et [ɔ] ou les deux sons.

	1	2	3	4	5	6
[o]						
[ɔ]						
Les 2 sons						

Les sons [ɑ̃] et [ɔ̃]

Graphie [ɑ̃] : *en, em, an, am.*

Graphie [ɔ̃] : *on, om.*

Règle : devant un *p* ou un *b*, les sons [ɑ̃] et [ɔ̃] s'écrivent *am, em, om*, mais leur prononciation ne varie pas.

Écoute et coche quand tu entends [ɑ̃] et [ɔ̃] ou les deux sons.

	1	2	3	4	5	6	7
[ɑ̃]							
[ɔ̃]							
Les 2 sons							

Rappel : les sons [e] fermé et [ɛ] ouvert.

Écoute et classe les mots ou groupes de mots dans la bonne colonne.

	1	2	3	4	5	6	7	8
[e] fermé								
[ɛ] ouvert								

Nom : .... Prénom : ....

Code candidat : |_|_|_|_|_|_| – |_|_|_|_|_|_|

DIPLÔME D'ÉTUDES EN LANGUE FRANÇAISE

DELF A2

Version scolaire et junior

Niveau A2 du Cadre européen commun de référence pour les langues

Nature des épreuves	Durée	Note sur
Compréhension de l'oral Réponse à des questionnaires de compréhension portant sur trois ou quatre courts documents enregistrés ayant trait à des situations de la vie quotidienne (2 écoutes). *Durée maximale des documents : 5 minutes*	25 min environ	/25
Compréhension des écrits Réponse à des questionnaires de compréhension portant sur trois ou quatre courts documents écrits ayant trait à des situations de la vie quotidienne.	30 min	/25
Production écrite Rédaction de 2 brèves productions écrites (lettre amicale ou message) : – décrire un événement ou des expériences personnelles ; – écrire pour inviter, remercier, s'excuser, demander, informer, féliciter…	45 min	/25
Production orale Épreuve en trois parties : – entretien dirigé – monologue suivi – exercice en interaction	6 à 8 min *Préparation : 10 min*	/25

Seuil de réussite pour obtenir le diplôme : 50/100
Note minimale requise par épreuve : 5/25
Durée totale des épreuves collectives :
1 heure 40 minutes

Note totale :	**/100**

ÉPREUVE 1
COMPRÉHENSION DE L'ORAL (25 points)

Durée : 25 minutes environ

Vous allez entendre 4 enregistrements, correspondant à 4 documents différents.
Pour chaque document, vous aurez :
– 30 secondes pour lire les questions ;
– une première écoute, puis 30 secondes de pause pour commencer à répondre aux questions ;
– une seconde écoute, puis 30 secondes de pause pour compléter vos réponses.
Répondez aux questions en cochant (X) la bonne réponse ou en écrivant l'information demandée.

50 Exercice 1 (5 points)

MP3

Vous êtes à la Foire de Paris et vous entendez ce message. Répondez aux questions.

1 Le rendez-vous est où ? — 1 point
a ☐ Au stand n° 1. b ☐ À l'entrée de la Foire. c ☐ Au pavillon des Cultures du Monde.

2 Qui peut participer ? .... 1 point

3 Qu'est-ce qui sera offert ? — 1 point

a b c

4 Où devez-vous aller pour vous inscrire ? — 1 point

....

5 Avant quelle heure devez-vous vous inscrire ? — 1 point
a ☐ 9h30. b ☐ 16h00. c ☐ 18h00.

51 Exercice 2 (6 points)

MP3

Vous écoutez ce message sur votre répondeur téléphonique. Répondez aux questions.

1 Chloé est avec qui ? .... 1 point

2 Chloé cherche... — 1 point
a ☐ sa sœur. b ☐ un cadeau. c ☐ Liu.

3 Chloé vous demande... — 1 point
a ☐ des informations sur le DELF. b ☐ un numéro de téléphone. c ☐ un conseil.

4 À quel numéro de téléphone devez-vous rappeler Chloé ? — 1 point
06 . ...

5 Que fait Chloé à 16h30 ? .... 1 point

6 Quel jour pouvez-vous vous rencontrer à l'école ? — 1 point
a ☐ Lundi. b ☐ Mardi. c ☐ Mercredi.

52 Exercice 3 (6 points)

MP3 **Vous entendez cette annonce à la radio. Répondez aux questions.**

1 Qui organise le club de lecture ? 1 point

....

2 Cette annonce concerne qui ? 1 point

a ☐ Les lecteurs. b ☐ Les bibliothécaires. c ☐ Les libraires.

3 Quand se réunit le club de lecture ? 1 point

a
JANVIER FÉVRIER
MARS AVRIL
MAI JUIN
JUILLET AOÛT
SEPTEMBRE OCTOBRE
NOVEMBRE DÉCEMBRE

b
JANVIER FÉVRIER
MARS AVRIL
MAI JUIN
JUILLET AOÛT
SEPTEMBRE OCTOBRE
NOVEMBRE DÉCEMBRE

c
JANVIER FÉVRIER
MARS AVRIL
MAI JUIN
JUILLET AOÛT
SEPTEMBRE OCTOBRE
NOVEMBRE DÉCEMBRE

4 Quelle est la date du prochain rendez-vous ? 1 point

a ☐ 1er mai. b ☐ 6 mai. c ☐ 16 mai.

5 La bibliothèque ouvre à quelle heure ? 1 point

.... h ....

6 Quel est le jour de fermeture de la bibliothèque ? 1 point

....

53 Exercice 4 (8 points)

MP3 **Vous êtes en France, dans la cour d'un lycée. Vous entendez cette conversation. Répondez aux questions.**

1 Alain a économisé pour pouvoir s'acheter... 2 points

a ☐ un ordinateur. b ☐ un téléphone. c ☐ un iPod.

2 Alain aime... 2 points

a ☐ chatter. b ☐ écouter de la musique. c ☐ naviguer sur Internet.

3 Qu'est-ce qu'Alain propose à Delphine ? 2 points

....

4 Alain et Delphine ont rendez-vous où ? 2 points

a ☐ Au lycée. b ☐ Chez Alain. c ☐ Chez Delphine.

ÉPREUVE 2
COMPRÉHENSION DES ÉCRITS (25 points)

Durée : 30 minutes

Exercice  (5 points)

Vous êtes dans une Maison de la presse en France avec des amis.

Choisissez une revue pour chaque personne.

Situation	Revue
La passion de Youri, ce sont les animaux.	
Liang est très sportif.	
L'activité préférée de Caroline, c'est le bronzage !	
Morten est fan de musique.	
Mya est passionnée de mode.	

Exercice 2 (6 points)

Vous faites partie de l'association Fondation Surfrider Europe. Vous recevez ce message de Michel, le responsable.

De : Fondation Surfrider Europe
À : les adhérents de la Fondation
Objet : Journée *Océane* à Antibes (nettoyage des plages du littoral)

Cher adhérent,

Notre association organisera la prochaine *Initiative Océane* le mois prochain à Antibes : nous nous retrouverons le dimanche 12 mai à 9h00 sur la plage de la Garoupe (renseignements, itinéraire et accès sur notre site internet). Venez nous aider à ramasser les sacs en plastique abandonnés après chaque pique-nique. Soutenez l'initiative, aidez-nous à protéger les plages de notre pays !

Je serai en stage professionnel à Biarritz la semaine prochaine et je ne répondrai pas au téléphone. Merci de confirmer votre présence par mail !

Vous avez participé à notre dernière journée *Océane* sur la plage de Menton ? Vous pouvez envoyer vos meilleures photos à l'association. Nous les mettrons en ligne sur notre site.

Écologiquement vôtre,
Michel

1 Michel écrit pour... **1 point**

a ☐ vous inviter à participer à une activité.

b ☐ demander de vous inscrire à l'association.

c ☐ proposer un pique-nique à la plage.

2 Le rendez-vous est quand ? **1,5 point**

a ☐ Dimanche prochain. b ☐ Dans une semaine. c ☐ Dans un mois.

3 Pour avoir des informations on peut... **1,5 point**

....

4 Michel part à Biarritz pour... **1 point**

a ☐ prendre des vacances.

b ☐ participer à une journée *Océane*.

c ☐ suivre une formation.

5 Que pouvez-vous envoyer à l'association ? **1 point**

....

Exercice 3 (6 points)

Vous visitez un site Internet français. Répondez aux questions.

Le Club International des Jeunes à Paris

201-203 rue de Vaugirard, 75015 Paris. Tél. 01 43 06 23 16 E-mail : com@club-international.org

Vous êtes étudiant(e) étranger(e) ou français(e) ? Vous habitez Paris ?
Vous désirez rencontrer des jeunes de tous les pays,
partager votre expérience et faire des activités ensemble ?

Alors rejoignez-nous au Club International des Jeunes à Paris, vous êtes les bienvenus !

Chaque mois, nous vous proposons un programme de sorties et d'activités variées: visites de quartiers, de monuments et de musées, excursions, découvertes gastronomiques, ateliers de conversation et d'échange linguistiques, expositions et spectacles, soirées...
Adhésion ouverte à tous les jeunes résidant à Paris ou en région parisienne.
Prix unique cotisation annuelle :12 € (prix à payer même si votre séjour dure moins d'une année)

En devenant membre vous pouvez :
- participer à toutes les activités du Club ;
- recevoir les newsletters de l'association et être informé des activités et événements organisés par l'association ;
- déposer des annonces dans notre site Internet ;
- recevoir des offres d'emploi, de stage et de logement, réservées aux membres.

Attention ! *Toutes les excursions et les visites sont à vos frais.*

COMMENT ADHÉRER ?
1. Remplissez le formulaire d'inscription en ligne.
2. Passez à l'association pour payer votre cotisation et recevoir votre carte de membre.

1 Le Club International des Jeunes à Paris propose des activités... **1 point**

a ☐ culturelles. b ☐ sportives. c ☐ artistiques.

2 Les activités sont destinées à des jeunes... **1 point**

a ☐ français. b ☐ étrangers. c ☐ de toutes les nationalités.

3 Vous voulez vous inscrire pour 2 mois. **1 point**

Vous payez .... €

4 Qu'est-ce qui n'est pas inclus dans le prix de l'inscription ? **1,5 point**

....

5 L'association peut aider les jeunes à... **1,5 point**

a

b

c

Exercice 4 (8 points)

Vous lisez cet article sur un site Internet. Répondez aux questions.

CINEFIL.com

ACCUEIL | FILMS | SÉANCES & SALLES | BANDES-ANNONCES | ENFANTS | ACTU | À LA TÉLÉ

Un monstre à Paris ★★★★★

Un film de : Éric Bibo Bergeron.
Date de sortie : 12 octobre.
Avec : Matthieu Chédid, Vanessa Paradis, Gad Elmaleh.

Résumé du film :

Paris, 1910. Une étrange créature terrifie la capitale. La police la recherche mais la créature se cache : impossible de la trouver ! Où est-elle ? Peut-être dans le quartier Montmartre au cabaret de l'Oiseau Rare ? Mais qui est ce monstre... ?

France
Tout public.
Genre : film d'animation.

FORUM: 1 commentaire.

Salut les amis cinéphiles! Moi je suis allé voir le film en avant-première ! J'ai adoré ! C'est drôle et ça fait aussi un peu peur ! En plus, l'histoire se passe à Paris au siècle dernier et c'est trop beau ! Allez vite le voir en famille !

Jules, 14 ans

1 Dans cette histoire, qui la police doit-elle retrouver ? 1,5 point

....

2 Où se trouve le cabaret L'Oiseau Rare ? 1,5 point

....

3 L'histoire se passe à notre époque. 1,5 point

	VRAI	FAUX
Justifiez :		

4 Jules a beaucoup aimé le film. 1,5 point

	VRAI	FAUX
Justifiez :		

5 Selon Jules, ce film est pour... 1 point

a ☐ les enfants. b ☐ les adultes. c ☐ tout le monde !

6 Jules conseille... 1 point

a ☐ d'aller à Paris. b ☐ d'aller au cinéma. c ☐ d'acheter le DVD.

ÉPREUVE 3
PRODUCTION ÉCRITE (25 points)

Durée : 45 minutes

Exercice  (13 points)

C'est votre premier jour à Paris. Vous racontez dans votre journal ce que vous avez fait et vous donnez vos premières impressions. Écrivez un texte de 60 à 80 mots.

Vous pouvez utiliser ces images mais ce n'est pas obligatoire.

....

....

....

Nombre de mots écrits : ....

Exercice  (12 points)

Vous lisez le mail que votre ami français vous a envoyé.

Salut !
J'ai une super proposition à te faire ! La semaine prochaine, je vais avec mes parents à Arcachon et je t'invite à venir avec nous ! Tu verras, c'est génial ! On peut se baigner tous les jours et faire du vélo aussi ! Tu pourrais nous rejoindre samedi 14 ou dimanche 15, on vient te chercher à la gare si tu veux. Réponds-moi vite !
Bises
Henri

Vous répondez à Henri : vous le remerciez et vous acceptez son invitation. Vous lui dites quand et comment vous arrivez et combien de temps vous allez rester (60 à 80 mots).

....

....

....

....

....

Nombre de mots écrits : ....

ÉPREUVE 4
PRODUCTION ORALE (25 points)

Durée : 6 à 8 minutes (préparation : 10 minutes)

Cette épreuve d'expression orale comporte 3 parties. Elle dure de 6 à 8 minutes. Vous disposez de 10 minutes de préparation pour les parties 2 et 3.

1 ENTRETIEN DIRIGÉ – 1ère partie (1 minute environ)

Après avoir salué votre examinateur, vous vous présentez (parlez de vous, de votre famille, de vos amis, de vos études, de vos goûts, des animaux que vous aimez, etc.). L'examinateur vous posera des questions complémentaires.

2 Monologue suivi – 2ème partie (2 minutes environ)

Vous tirez au sort 2 sujets et vous en choisissez 1. Vous vous exprimez sur le sujet. L'examinateur peut ensuite vous poser des questions pour vous aider.

SUJET 1 Le temps libre

Le temps libre est-il important pour vous ? Que faites-vous le week-end ? Expliquez quelles sont vos activités et laquelle est la plus importante pour vous.

SUJET 2 Les amis

Avez-vous beaucoup d'amis ? Parlez de votre meilleur(e) ami(e). Quels sont ses qualités et ses défauts ? Quelles sont les activités que vous aimez faire ensemble ?

3 Exercice en interaction – 3ème partie (3 à 4 minutes environ)

Deux sujets au choix proposés par l'examinateur. Vous en choisissez un. Vous devez simuler un dialogue avec l'examinateur afin de résoudre une situation de la vie quotidienne. Vous montrez que vous êtes capable de saluer et d'utiliser les règles de politesse. Dans certains sujets, le genre masculin est utilisé pour alléger le texte. Vous pouvez naturellement adapter la situation en adoptant le genre féminin.

SUJET 1 Cadeau

Vous voulez acheter un cadeau pour votre correspondant(e) français(e), mais vous ne savez pas quoi choisir. Vous discutez avec le père/la mère de votre correspondant(e) pour connaître ses goûts et ses préférences et vous faites votre choix. *L'examinateur joue le rôle du père/de la mère de votre correspondant(e).*

SUJET 2 Sortie

Aujourd'hui il fait très beau et vous proposez à votre ami(e) français(e) une belle promenade. Mais il (elle) veut aller au cinéma. Vous discutez pour trouver une solution. *L'examinateur joue le rôle de l'ami(e).*

ÉPREUVE 1
COMPRÉHENSION DE L'ORAL (25 points)

Durée : 25 minutes environ

Vous allez entendre 4 enregistrements, correspondant à 4 documents différents.
Pour chaque document, vous aurez :
– 30 secondes pour lire les questions ;
– une première écoute, puis 30 secondes de pause pour commencer à répondre aux questions ;
– une seconde écoute, puis 30 secondes de pause pour compléter vos réponses.
Répondez aux questions en cochant (✗) la bonne réponse ou en écrivant l'information demandée.

54 Exercice 1 (5 points)

MP3

Vous êtes à la gare de Valence et vous entendez ce message. Répondez aux questions.

1 On annonce... **1 point**

a ☐ l'arrivée d'un train.
b ☐ le départ d'un train.
c ☐ un problème.

2 Le message est destiné à qui ? **1 point**

....

3 Le départ est à quelle heure ? **1 point**

a ☐ 17h45.
b ☐ 18h15.
c ☐ 18h45.

4 Où doit-on aller ? **1 point**

....

5 Pour pouvoir voyager il faut... **1 point**

a

b

c

 **Exercice**  (6 points)

Vous écoutez ce message sur votre répondeur. Répondez aux questions.

1 Avec qui Quentin est-il allé au concert? **1 point**

....

2 Au concert Quentin a réussi à... **1 point**

a ☐ chanter avec son chanteur préféré.
b ☐ faire signer un autographe à son chanteur préféré.
c ☐ faire des photos de son chanteur préféré.

3 Quentin vous demande... **1 point**

a ☐ de confirmer un rendez-vous.
b ☐ d'appeler Jérémie.
c ☐ d'acheter des billets.

4 Qu'est-ce qu'il y a samedi ? **1 point**

....

5 À quel numéro de téléphone devez-vous rappeler ? **1 point**

06 . ...

6 Quel jour devez-vous prendre les billets ? **1 point**

a

b

c

56 **Exercice 3** (6 points)

MP3 **Vous entendez cette annonce à la radio. Répondez aux questions.**

1 Demain on fête quoi ? **1 point**

....

2 Demain il fait quel temps ? **1 point**

a b c

3 Cette année... **1 point**

a ☐ les manifestations sont organisées toute la journée.
b ☐ il y a moins de touristes.
c ☐ il fera beau tout le week-end.

4 Le spectacle est quand ? (*0,5 point par bonne réponse*) **1 point**

– il commence à .... – il dure ....

5 C'est un spectacle... **1 point**

a ☐ pour tous les publics.
b ☐ pour les enfants.
c ☐ pour les adultes.

6 Le spectacle parle de... **1 point**

....

57 **Exercice 4** (8 points)

MP3 **Vous êtes en France, dans un magasin de vêtements. Vous entendez cette conversation. Répondez aux questions.**

1 Margot n'aime pas... **2 points**

a ☐ les shorts.
b ☐ les robes.
c ☐ les jupes.

2 Margot a acheté une robe à fleurs il y a .... mois. **2 points**

3 Pourquoi Margot n'achète-t-elle pas la robe ? **2 points**

a ☐ À cause du modèle.
b ☐ À cause de la couleur.
c ☐ À cause du prix.

4 Qu'est-ce que Lou propose à Margot ? **2 points**

....

ÉPREUVE 2
COMPRÉHENSION DES ÉCRITS (25 points)

Durée : 35 minutes

Exercice 1 (5 points)

Vous êtes en France avec des amis et ce week-end vous voulez sortir ! Vous lisez le journal.

Les festivals de l'été en France

1 ***Au clair de lune***
Le festival *Au clair de lune* vous offre la possibilité de (re)voir vos stars préférées dans une sélection de grands films classiques et actuels, en plein air et sous les étoiles.

2 **Rencontre internationale de danse *Mimos***
Un festival pour tous ceux qui aiment découvrir le spectacle du monde ! *Mimos* reçoit cette année des troupes d'Ukraine, Brésil, Grèce, Pologne, Taïwan, Espagne... À ne pas manquer !!!

3 **Bon appétit !**
Dégustations de classe et saveurs spéciales... Venez passer des moments « délicieux » entre amis, goûtez les spécialités préparées par nos chefs...

4 **Fête des Arts Martiaux**
Karaté, Judo, Kung-fu, les plus grands champions nous offrent une démonstration de leur art et de leur force.

5 ***Festival quatre pattes***
Les plus beaux chiens, les races les plus rares et les plus curieuses pour une rencontre annuelle qui a de plus en plus de succès !

Vous choisissez une activité pour chaque personne.

Situation	Festival
Farik est très sportif.	
Vincent est un ami des animaux.	
Kévin veut devenir cuisinier.	
Le rêve de Lola, c'est voyager dans tous les pays du monde !	
Fabienne est une passionnée de cinéma.	

Exercice 2 (6 points)

Vous êtes l'un(e) des responsables du Club Zanimo. Vous recevez ce message d'une personne intéressée.

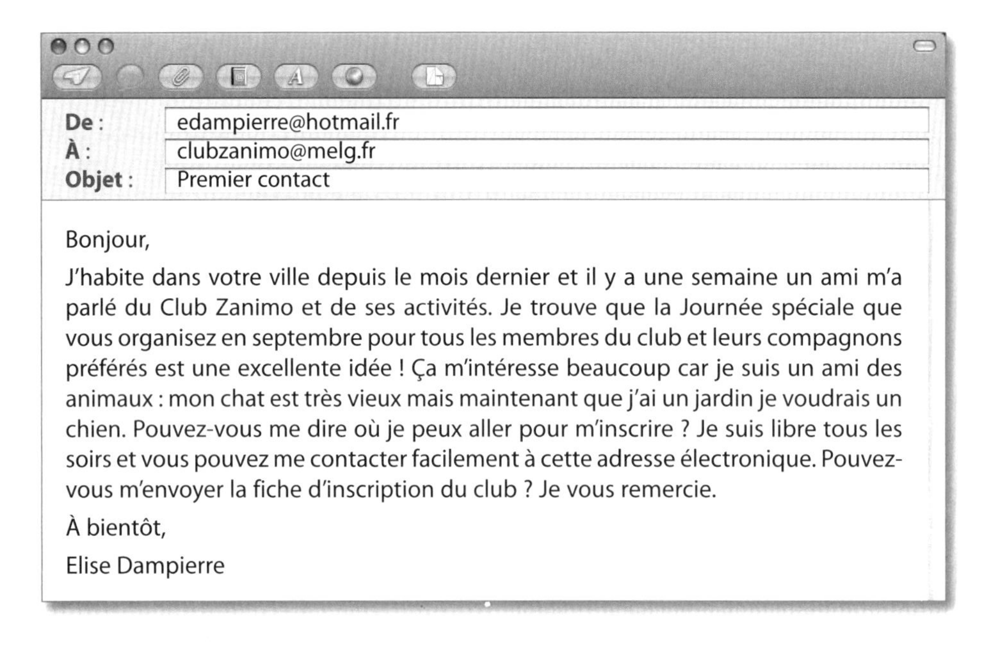

De : edampierre@hotmail.fr
À : clubzanimo@melg.fr
Objet : Premier contact

Bonjour,

J'habite dans votre ville depuis le mois dernier et il y a une semaine un ami m'a parlé du Club Zanimo et de ses activités. Je trouve que la Journée spéciale que vous organisez en septembre pour tous les membres du club et leurs compagnons préférés est une excellente idée ! Ça m'intéresse beaucoup car je suis un ami des animaux : mon chat est très vieux mais maintenant que j'ai un jardin je voudrais un chien. Pouvez-vous me dire où je peux aller pour m'inscrire ? Je suis libre tous les soirs et vous pouvez me contacter facilement à cette adresse électronique. Pouvez-vous m'envoyer la fiche d'inscription du club ? Je vous remercie.

À bientôt,

Elise Dampierre

1 Elise est arrivée dans votre ville... **1 point**

a ☐ il y a une semaine.
b ☐ il y a un mois.
c ☐ en septembre.

2 Elise... **1 point**

a ☐ n'a pas d'animal.
b ☐ a un chat.
c ☐ a un chien.

3 Elise veut des informations sur... **1,5 point**

a ☐ les horaires du club.
b ☐ les activités du club.
c ☐ l'adresse du club.

4 Pour contacter Elise, vous pouvez... **1,5 point**

a ☐ écrire à son adresse.
b ☐ envoyer un mail.
c ☐ téléphoner.

5 Qu'est-ce que vous devez envoyer à Elise ? **1 point**

....

Exercice 3 (6 points)

Vous lisez cette brochure d'une agence de voyages française. Répondez aux questions.

AGENCE PRO !

Quand vous voyagez, adressez-vous à des professionnels !

	Séjour linguistique à Tours	Vacances découverte Paris / région parisienne	Stage Tous sports (Chambéry)
Période	du 01/07 au 01/08	du 15/07 au 31/07	du 05/08 au 25/08
Activités	cours de langue intensif	visites culturelles + conférences (art, histoire)	randonnée, escalade, canoë
Public		**mineurs à partir de 14 ans (avec autorisation des parents)**	
Tarif	1500€ hébergement et repas inclus	1450€ hébergement inclus (les excursions ne sont pas comprises dans le prix)	1360€ hébergement et matériel sportif inclus

Un cadeau à chaque inscription !
Le DVD « Les beautés de la France » et un mini guide de conversation française.

VOYAGES FRANCE – 3 avenue Nationale 75 013 Paris
Inscriptions : 08 00 88 78 99 **Informations : info@voyagesfrance.com**

1 L'agence propose... **1 point**
a ☐ des vacances en famille.
b ☐ des séjours jeunes.
c ☐ des stages professionnels.

2 Vous voulez partir pendant un mois. **1,5 point**
Vous payez .... €

3 Qu'est-ce qui est compris dans le stage à 1360€ ? **1 point**

a b c

4 Qu'est-ce que l'agence offre à ses clients ? **(2 réponses possibles mais 1 seule réponse demandée) 1,5 point**
....

5 Pour vous inscrire, vous devez... **1 point**
a ☐ écrire à l'agence. b ☐ aller à l'agence. c ☐ téléphoner à l'agence.

Exercice 4 (8 points)

Vous lisez cet article sur un site français. Répondez aux questions.

Stage de Théâtre pour Enfants et Ados · L'enfant bleue et le voyage du Soi

L'enfant bleue et le voyage du Soi
SPECTACLES, COURS DE THÉÂTRE ET DÉVELOPPEMENT PERSONNEL

Stage de théâtre été pour ados

Comme tous les ans, la compagnie l'Enfant Bleue ouvre ses inscriptions pour son stage de théâtre ados de 12 à 16 ans durant les vacances d'été. Ce stage permet aux jeunes de se divertir en découvrant le théâtre. Le groupe invente et écrit une histoire (les fautes de français ne sont pas un problème !), chaque stagiaire crée son personnage et à la fin du stage tous les ados sont invités à jouer leur « pièce » devant un public d'amis.

3605 avis

DERNIERS AVIS DES INTERNAUTES

01/08 Avis de Franck
Mon fils s'est amusé et il a trouvé des tas de copains. Rendez-vous l'année prochaine !

31/07 Avis de Sara
Expérience positive ! Maintenant ma fille veut refaire le stage avec sa meilleure amie !

27/08 Avis de Stéphanie
À recommander vivement pour tous les parents: une super activité ! Mes enfants sont abonnés tous les étés !

1 La compagnie l'Enfant bleue propose le stage pour la première fois. **1,5 point**

	VRAI	FAUX
Justifiez :		

2 La compagnie l'Enfant bleue propose le stage dans les écoles. **1,5 point**

	VRAI	FAUX
Justifiez :		

3 Quel est l'objectif du stage ? **1,5 point**

a ☐ Découvrir les stars de demain.
b ☐ Faire du théâtre en s'amusant.
c ☐ Améliorer son français.

4 À la fin du stage qu'est-ce que font les ados ? **1,5 point**

....

5 Les parents qui donnent leur avis sont... **1 point**

a ☐ plutôt contents. b ☐ contents. c ☐ vraiment contents.

6 Les parents qui donnent leur avis... **1 point**

a ☐ veulent trouver d'autres activités pour leurs enfants.
b ☐ sont prêts à inscrire leurs enfants une autre fois.
c ☐ sont des passionnés de théâtre.

ÉPREUVE 3
PRODUCTION ÉCRITE (25 points)

Durée : 45 minutes

Exercice 1 (13 points)

Vous êtes allé(e) au cinéma et le film que vous avez vu vous a beaucoup impressionné(e) (vous avez adoré... ou détesté !) Vous écrivez à votre ami(e) français(e) pour lui raconter votre soirée et vous lui donnez vos impressions sur le film (60 à 80 mots.)

Vous pouvez utiliser ces images mais ce n'est pas obligatoire.

....

....

....

Nombre de mots écrits : ....

Exercice  (12 points)

Vous lisez le mail que votre amie française vous a envoyé.

> Salut !
> Je t'écris pour t'annoncer que j'ai eu mon Brevet des Collèges ! Je suis très contente parce que j'ai eu de très bonnes notes ! Pour fêter ça, je t'invite chez moi samedi (Hélène, Noa et les autres viennent aussi !) Viens vers 19h00 mais n'apporte rien ! Ma mère a prévu un super repas !
> Gros bisous
> Charlotte

Vous répondez à Charlotte. Vous la félicitez et vous la remerciez pour son invitation. Vous expliquez que vous ne pouvez pas venir samedi et vous précisez pourquoi. Vous lui proposez de vous voir une autre fois (60 à 80 mots).

....

....

....

....

....

Nombre de mots écrits : ....

ÉPREUVE 4
PRODUCTION ORALE (25 points)

Durée : 6 à 8 minutes (préparation : 10 minutes)

Cette épreuve d'expression orale comporte 3 parties. Elle dure de 6 à 8 minutes. Vous disposez de 10 minutes de préparation pour les parties 2 et 3.

1 ENTRETIEN DIRIGÉ – 1ère partie (1 minute environ)

Après avoir salué votre examinateur, vous vous présentez (parlez de vous, de votre famille, de vos amis, de vos études, de vos goûts, des animaux que vous aimez, etc.). L'examinateur vous posera des questions complémentaires.

2 Monologue suivi – 2ème partie (2 minutes environ)

Vous tirez au sort 2 sujets et vous en choisissez 1. Vous vous exprimez sur le sujet. L'examinateur peut ensuite vous poser des questions pour vous aider.

SUJET 1 La vie quotidienne

Décrivez l'une de vos journées habituelles. Comment se passe une journée dans votre école ? Et quand vous avez du temps libre, que faites-vous ? Une journée spéciale pour vous, qu'est-ce que c'est ?

SUJET 2 Les vacances

Parlez de vos prochaines vacances. Avec qui partez-vous ? Que ferez-vous ? Quelles sont vos vacances idéales ?

3 Exercice en interaction – 3ème partie (3 à 4 minutes environ)

Deux sujets au choix proposés par l'examinateur. Vous en choisissez un. Vous devez simuler un dialogue avec l'examinateur afin de résoudre une situation de la vie quotidienne. Vous montrez que vous êtes capable de saluer et d'utiliser les règles de politesse. Dans certains sujets, le genre masculin est utilisé pour alléger le texte. Vous pouvez naturellement adapter la situation en adoptant le genre féminin.

SUJET 1 À la cantine du collège

Vous êtes en France, au collège. Vous voulez acheter des tickets pour manger à la cantine. Vous demandez au responsable le prix des repas, le nombre de tickets que vous voulez, les horaires de la cantine... *L'examinateur joue le rôle du responsable de la cantine.*

SUJET 2 Fête

Vous êtes en France chez votre correspondant(e) français(e). Il/elle veut organiser une petite soirée entre amis. Vous discutez de l'organisation (le nombre d'invités, le lieu de la fête, la nourriture et les boissons à acheter, l'horaire...). *L'examinateur joue le rôle de votre correspondant(e) français(e).*

ÉPREUVE 1
COMPRÉHENSION DE L'ORAL (25 points)

Durée : 25 minutes environ

Vous allez entendre 4 enregistrements, correspondant à 4 documents différents.
Pour chaque document, vous aurez :
- *30 secondes pour lire les questions ;*
- *une première écoute, puis 30 secondes de pause pour commencer à répondre aux questions ;*
- *une seconde écoute, puis 30 secondes de pause pour compléter vos réponses.*

Répondez aux questions en cochant (X) la bonne réponse ou en écrivant l'information demandée.

Exercice 1 (5 points)

Vous êtes au Musée d'Orsay et vous entendez ce message. Répondez aux questions.

1 Qu'est-ce qu'il y a de spécial aujourd'hui ? — 1 point

....

2 À quelle heure ferme le musée ? — 1 point

a ☐ 12h00.
b ☐ 12h30.
c ☐ 24h00.

3 Qui peut participer à la visite guidée ? — 1 point

....

4 Qu'est-ce qu'on reçoit comme cadeau ? — 1 point

a

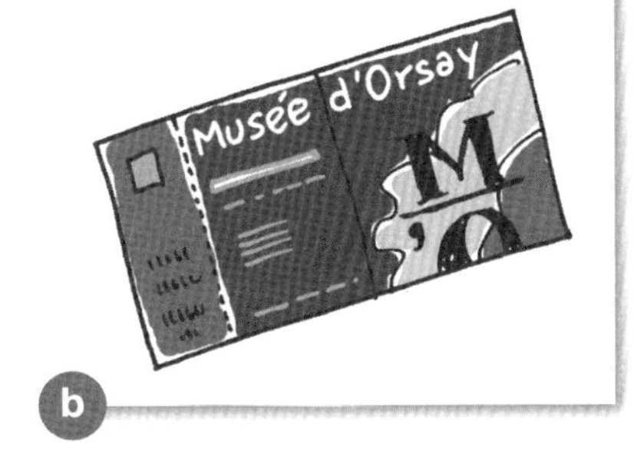

b

c

5 Où doit-on s'inscrire ? — 1 point

a

b

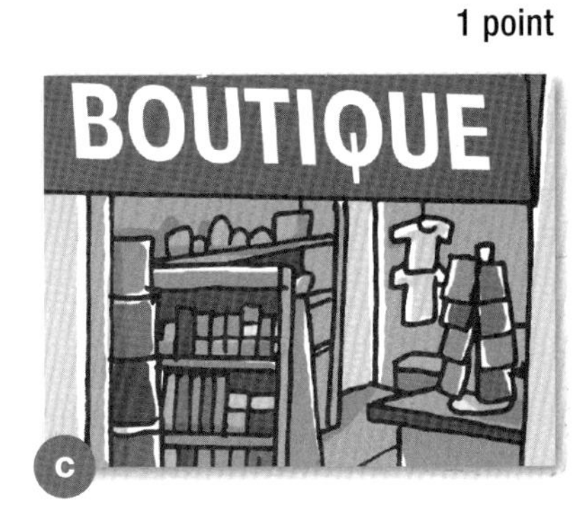

c

59 **Exercice 2** (6 points)

MP3 **Vous écoutez ce message sur votre répondeur. Répondez aux questions.**

1 Où allez-vous cet été ? 1 point

....

2 Vous voyagez comment ? 1 point

a

b

c

3 Le prix est intéressant au mois de... 1 point

a ☐ juin.
b ☐ juillet.
c ☐ août.

4 Que faut-il faire aujourd'hui ? 1 point

....

5 Vous devez téléphoner au... 1 point

06 . ...

6 Vous devez téléphoner à Richard pour... 1 point

....

60 Exercice 3 (6 points)

MP3 **Vous êtes en France et vous écoutez la radio. Répondez aux questions.**

1 Ce sont les prévisions pour... **1 point**
a ☐ aujourd'hui. b ☐ demain. c ☐ la fin de la semaine.

2 Quelle est la journée la plus difficile pour circuler ? **1 point**
a ☐ Vendredi. b ☐ Samedi. c ☐ Dimanche.

3 Il vaut mieux partir quel jour ? **1 point**
a ☐ Vendredi. b ☐ Samedi. c ☐ Dimanche.

4 À quelle heure les camions ne peuvent-ils pas circuler ? **(0,5 point par bonne réponse) 1 point**
- Samedi à partir de ....
- Dimanche jusqu'à ....

5 Quel est le conseil de la sécurité routière ? **1 point**

a b c

6 Pour avoir des informations, on peut consulter le site... **1 point**
a ☐ www.infotrafic.com
b ☐ www.info-trafic.com
c ☐ www.info.trafic.com

61 Exercice 4 (8 points)

MP3 **Vous êtes à Paris. Vous entendez cette conversation. Répondez aux questions.**

1 Ce matin Malika veut aller... **2 points**
a ☐ dans un musée. b ☐ à l'Hôtel de Ville. c ☐ faire les magasins.

2 Quel cadeau Malika veut-elle acheter à sa sœur ? **2 points**
a ☐ Un bijou. b ☐ Une paire de chaussures. c ☐ Un livre.

3 Que propose Céline à Malika ? **2 points**

....

4 Aujourd'hui Céline veut... **2 points**
a ☐ visiter une exposition. b ☐ se promener en ville. c ☐ dépenser de l'argent.

ÉPREUVE 2
COMPRÉHENSION DES ÉCRITS (25 points)

Durée : 35 minutes

Exercice  **1** (5 points)

Vous êtes à Paris et vous voulez des souvenirs pour tous vos amis. Vous décidez d'acheter des calendriers.

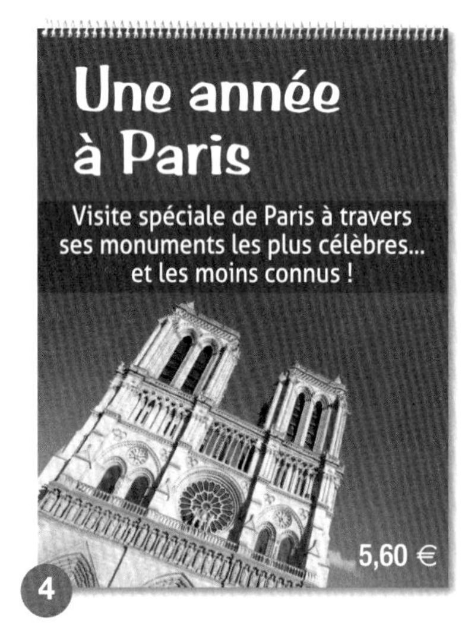

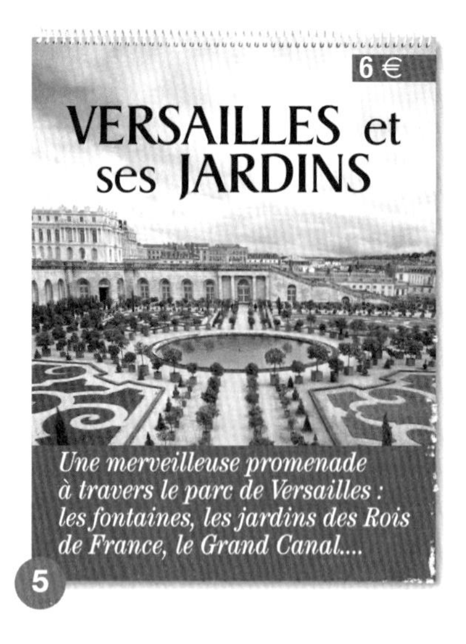

Choisissez un cadeau pour chacun(e) de vos ami(e)s. Écrivez le numéro du calendrier dans la case correspondante.

Situation	Calendrier
Justine est passionnée d'histoire.	
Chan rêve de visiter Notre-Dame et de faire un tour en bateau-mouche.	
Clémentine est gourmande.	
Stella aime les voyages.	
Mikael adore les fleurs.	

Exercice 2 (6 points)

Vous recevez ce mail. Répondez aux questions.

Objet Programme vacances

Bonjour !
C'est bientôt les vacances et voici la grande nouvelle ! Mes parents ont dit oui : je pars cet été en camp d'ados en Bretagne ! C'est un séjour pour les jeunes de 12 à 18 ans de toutes les nationalités. On fait du camping et il y a plein d'activités sportives tous les jours : tu sais que j'adore ça !
Regarde le programme sur le site de l'association, c'est super !
Donc cette année je suis désolée car je ne peux pas venir te voir.
Mais l'année prochaine on pourrait passer des vacances ensemble !
J'attends de tes nouvelles très vite...
Gros bisous
Jeanne

1 Jeanne écrit pour... **1 point**

a ☐ raconter ses vacances.
b ☐ envoyer un programme.
c ☐ parler d'un projet.

2 Qu'est-ce que Jeanne adore ? **1,5 point**

....

3 Vous voulez des informations. Que faites-vous ? **1,5 point**

....

4 Cette année qu'est-ce que Jeanne ne peut pas faire ? **1 point**

....

5 L'année prochaine Jeanne veut... **1 point**

a ☐ aller en Bretagne.
b ☐ passer des vacances avec vous.
c ☐ venir en vacances chez vous.

Exercice 3 (6 points)

Vous êtes à Paris avec vos parents et vous lisez cette publicité pour un spectacle. Répondez aux questions.

Les soirées de l'Institut du Monde Arabe

DANSE MUSIQUE CINÉMA

SOIRÉE avec Mohamed Abozekry et l'ensemble HeeJaz

Enfant prodige né en Egypte, Mohamed Abozekry a commencé très tôt une carrière exceptionnelle. Avec le guitariste Guillaume Hogan et 2 autres artistes il a formé le groupe « Heejaz », qui s'inspire de différentes cultures : orientale, jazz, blues, rock, world, free jazz, tsigane...

Auditorium de l'IMA, vendredi 29 juillet, 21h (entrée dans la salle autorisée jusqu'à 20h50)

	Tarif plein	Tarif -10%	Tarif -30%
Catégorie 1	22 €	19,80 €	15,40 €
Catégorie 2	18 €	16,20 €	12,60 €

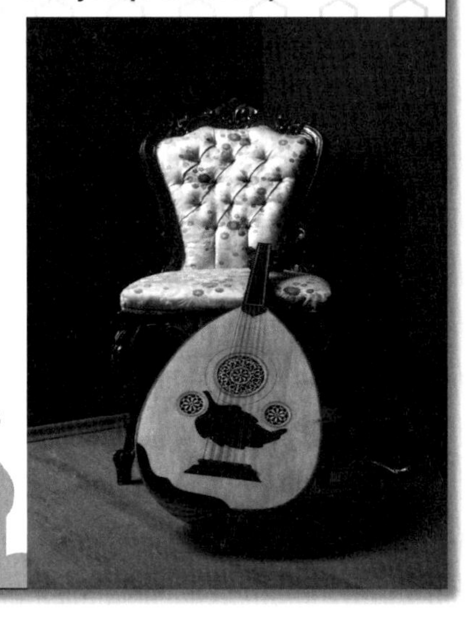

Les catégories 1 et 2 sont en fonction des places dans l'Auditorium.
Tarif -10% : demandeurs d'emploi et moins de 18 ans
Tarif -30% : tarif exceptionnel membres titulaires de la carte IMA
(la réduction est accordée sur présentation d'un document justificatif : carte de demandeur d'emploi, d'identité, carte IMA)

Réservation :
- **Sur place :** du mardi au dimanche de 10h à 17h et le jour des spectacles de 19h à 20h30
- **Par téléphone :** 01 40 51 38 14; du mardi au dimanche de 10h à 14h

Renseignements au 01 40 51 39 12 / 01 40 51 34 86

1 C'est une publicité pour un spectacle de... **1 point**

a ☐ danse. b ☐ musique. c ☐ cinéma.

2 Vous voulez acheter une place de catégorie 1. Combien payez-vous ? **1,5 point**

.... €

3 Pour avoir droit à une réduction, on doit... **1 point**

....

4 Le tarif des places dépend... **1,5 point**

a ☐ de l'endroit où vous êtes assis.
b ☐ de la date de votre réservation.
c ☐ du nombre de billets achetés.

5 Pour acheter votre billet vous ne pouvez pas... **1 point**

a

b

c

Exercice  4 (8 points)

Vous lisez un magazine français. Répondez aux questions.

Les mammouths sont de retour !

À QUOI RESSEMBLAIENT LES MAMMOUTHS?

Pour le savoir, allez voir leur squelette dans un musée ! En effet les mammouths ont disparu de la Terre il y a des milliers d'années. Pourtant, ils vont peut-être bientôt réapparaître sur notre planète car des scientifiques japonais veulent recréer un spécimen de cette espèce !

Comment cela est-il possible ? En Russie on a trouvé un mammouth mort il y a des milliers d'années en Sibérie. Le froid a permis de le conserver parfaitement. Les scientifiques espèrent pouvoir créer un « bébé mammouth » avec cet animal congelé. Sa mère sera une éléphante moderne.

MAMMOUTH
(nom scientifique : *mammuthus*)
Habitat : hémisphère nord
Taille : 2,80m – 3,40 m
Poids : jusqu'à 12 tonnes
Alimentation : herbe, petits arbres

1 C'est un texte qui parle de... **1 point**
- a ☐ sciences.
- b ☐ histoire.
- c ☐ géographie.

2 Le mammouth était un animal... **1,5 point**
- a ☐ omnivore.
- b ☐ herbivore.
- c ☐ carnivore.

3 Aujourd'hui pour voir un mammouth il faut aller dans un musée. **1,5 point**

	VRAI	FAUX
Justifiez :		

4 Les mammouths ont disparu de la Terre depuis... **1,5 point**
- a ☐ 100 ans.
- b ☐ 1000 ans.
- c ☐ plus de 1000 ans.

5 Les scientifiques ont retrouvé un spécimen congelé de mammouth au Japon. **1,5 point**

	VRAI	FAUX
Justifiez :		

6 Pour créer un « bébé mammouth », les scientifiques utiliseront quel animal vivant ? **1 point**

....

ÉPREUVE 3
PRODUCTION ÉCRITE (25 points)

Durée : 45 minutes

Exercice 1 (13 points)

Vous avez passé une semaine de vacances dans une station de ski en Suisse. Vous racontez dans votre journal intime ce que vous avez fait pendant votre séjour, les personnes que vous avez rencontrées et vous parlez de vos impressions (60 à 80 mots).

Vous pouvez utiliser ces images mais ce n'est pas obligatoire.

....

....

....

Nombre de mots écrits : ....

Exercice 2 (12 points)

Votre ami(e) français(e) vient de déménager dans une autre ville. Il/elle vous envoie sa nouvelle adresse. Vous lui écrivez pour lui demander des détails sur sa nouvelle ville, ses nouveaux amis, sur ce qu'il/elle fait et s'il/elle est content(e) (60 à 80 mots).

....

....

....

....

....

Nombre de mots écrits : ....

ÉPREUVE 4
PRODUCTION ORALE (25 points)

Durée : 6 à 8 minutes (préparation : 10 minutes)

Cette épreuve d'expression orale comporte 3 parties. Elle dure de 6 à 8 minutes. Vous disposez de 10 minutes de préparation pour les parties 2 et 3.

1 ENTRETIEN DIRIGÉ – 1ère partie (1 minute environ)

Après avoir salué votre examinateur, vous vous présentez (parlez de vous, de votre famille, de vos amis, de vos études, de vos goûts, des animaux que vous aimez, etc.). L'examinateur vous posera des questions complémentaires.

2 Monologue suivi – 2ème partie (2 minutes environ)

Vous tirez au sort 2 sujets et vous en choisissez 1. Vous vous exprimez sur le sujet. L'examinateur peut ensuite vous poser des questions pour vous aider.

SUJET 1 Les vacances

Que faites-vous pendant vos vacances ? Où avez-vous passé vos dernières vacances ? Avec qui ? Comment se sont-elles passées ?

SUJET 2 L'école

Comment sont vos professeurs ? Sévères ou plutôt gentils ? Parlez de votre professeur préféré.

3 Exercice en interaction – 3ème partie (3 à 4 minutes environ)

Deux sujets au choix proposés par l'examinateur. Vous en choisissez un. Vous devez simuler un dialogue avec l'examinateur afin de résoudre une situation de la vie quotidienne. Vous montrez que vous êtes capable de saluer et d'utiliser les règles de politesse. Dans certains sujets, le genre masculin est utilisé pour alléger le texte. Vous pouvez naturellement adapter la situation en adoptant le genre féminin.

SUJET 1 Achats

Vous êtes dans un magasin de sports en France. Vous voulez vous acheter des chaussures mais vous ne savez pas lesquelles choisir. Vous demandez des conseils au vendeur/à la vendeuse. *L'examinateur joue le rôle du vendeur/de la vendeuse.*

SUJET 2 Sortie

Vous êtes à Eurodisney Paris. Un(e) de vos ami(e)s veut monter sur les gigantesques montagnes russes mais vous préférez une activité plus tranquille. Vous discutez pour vous mettre d'accord et vous faites ensemble votre programme. *L'examinateur joue le rôle de l'ami(e).*